Pour Kate,

Cette récolte de châtaignes 2001 qui j'espère l'inspirera derrière ses fourneaux, son père étant impatient de le vérifier

Avec toute mon amitié

# il était une fois

# la châtaigne

ÉDITIONS XAVIER LEJEUNE

ISBN : 2 - 907 608 - 35 - 5 - Tous droits réservés pour tous pays.

# il était une fois

# la châtaigne

TEXTES

**PHILIPPE LEMAIRE**

à mon père et à Muriel

PHOTOS

**DANIEL ET ÉTIENNE LATTARD**

ÉDITIONS XAVIER LEJEUNE
157 Rue de St Cyr 69009 Lyon

## sommaire

## préface

La châtaigne a partie liée avec l'enfance. L'odeur volubile des marrons grillés n'appartient-elle pas au même titre que la barbe à papa, les coco-boërs, les réglisses en spirale ou la pomme d'amour, à l'univers de la fête foraine dont l'enfant se grise avec volupté ?
Et trônant au pied de la grande roue, le grilleur de marrons avec son visage de suie, personnage mi-ogre, mi-bougnat, n'en finira sans doute jamais de réécrire le mythe de l'innocence. Encore aujourd'hui ne suffit-il pas de se noircir les doigts en saisissant une châtaigne dans son cornet de papier journal pour réentendre les cris de frayeur que l'on poussait dans des trains qui se voulaient fantômes et qui savaient si bien arriver à l'heure des souvenirs.
L'enfance a sa poésie qui n'a pas d'âge, excepté peut-être celui de l'illusion. La châtaigne ne ferait-elle que participer à cette douce mélancolie du passé qu'elle contribue à faire resurgir, qu'elle mériterait notre reconnaissance.
La châtaigne dans l'émouvante simplicité de sa forme et les nuances infinies de sa robe, se contenterait-elle de réveiller cette tendresse à jamais enfouie dans les ressacs de la vie, qu'elle aurait tout à fait le droit de piquer notre curiosité.
Mais ce serait lui faire injure que de la réduire à ce rôle de brouillon de l'enfance. Tandis que notre époque a transformé son assiette en laboratoire de toutes les hérésies culinaires, tant et si bien que les dieux de la gastronomie l'ont punie en lui envoyant de nouveaux fléaux tels la maladie de la vache folle, la tremblante du mouton et quelques autres, l'apparition controversée des OGM risquant d'en allonger singulièrement la liste, la châtaigne, elle, n'a pas bougé. C'est un roc.

Elle est restée telle qu'elle a toujours été, noble, authentique, vraie, l'antidote par excellence de toutes ces productions sans saveur qui n'ont que le goût fade de la course au rendement. Si on ajoute à cela le fait que la châtaigne est le fruit biologique idéal, on comprend que certains l'aient choisie comme symbole de ce retour aux valeurs sûres du terroir. La châtaigne est un fruit du terroir.

Toutes ses qualités sont le plus sûr garant de son avenir à la fois culinaire et économique. Alors qu'il y a quelques années, la châtaigne était menacée de disparaître, des hommes et des femmes aussi, soit par intuition, soit par calcul ou simplement par respect de la tradition et de l'héritage, se sont battus pour la sauver et lui permettre de prendre sa revanche. Aujourd'hui, la châtaigne est devenue un fruit tendance...

"Il était une fois, la châtaigne" esquisse le portrait de quelques-uns de ces "hommes de châtaigne" qui, de la Corse au Limousin en passant par l'Ardèche, les Cévennes ou le Var, ont bataillé ferme pour sauver les châtaigneraies de l'abandon.

Ils ont en commun d'avoir préservé en eux cette part d'inconscience qui n'appartient qu'à l'enfance sans laquelle rien ne se fait jamais de grand.

"Il était une fois, la châtaigne" reprend aussi dans son titre la formule rituelle du conte "Il était une fois...". Comme tous les contes, celui-ci se termine bien puisque des chefs parmi les plus prestigieux et les plus étoilés de France ont remis la châtaigne et le marron au goût du jour en inventant des recettes propres à ravir la sphère des sens.

Quelques-uns d'entre eux nous en ont livré le secret.

N'est-ce pas ce qu'on appelle un épilogue heureux.

# nouvelles et autres récits

# "Dauphiné la Sincérité" compagnon du châtaignier

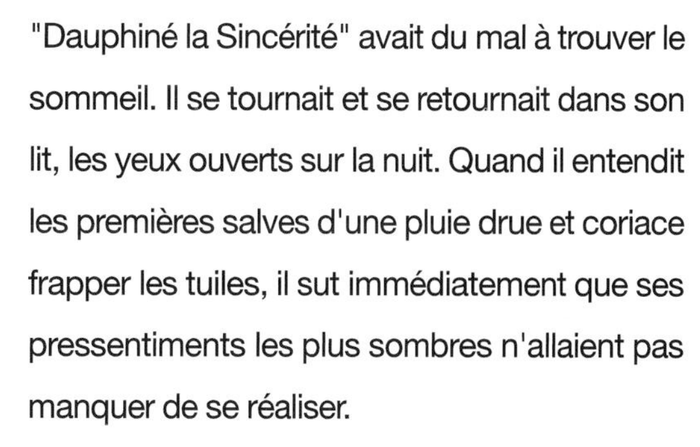

"Dauphiné la Sincérité" avait du mal à trouver le sommeil. Il se tournait et se retournait dans son lit, les yeux ouverts sur la nuit. Quand il entendit les premières salves d'une pluie drue et coriace frapper les tuiles, il sut immédiatement que ses pressentiments les plus sombres n'allaient pas manquer de se réaliser.

Avec d'autres compagnons charpentiers, il avait travaillé sans relâche pour prendre les nuages de vitesse et finir de monter l'échafaudage au-dessus de l'Auzène.

D'habitude cette rivière se contentait de jouer à saute-rocher avant de rejoindre l'Eyrieux ! Un coup de langue à gauche, un coup de langue à droite, l'Auzène n'avait pas le temps de paresser entre les flancs encaissés d'une colline taillée à la serpe dans le granit des Cévennes ardéchoises, une vallée où s'agrippaient, parfois même au-dessus du vide, un chêne malingre à moins que ce ne fut quelques chênes verts plus hargneux. De temps à autres, on apercevait la silhouette altière d'un châtaignier qui dominait l'abîme.

D'ordinaire l'Auzène était espiègle, pas menaçante du tout. Simplement les jours de trop forte pluie, elle se haussait du col, histoire de montrer ses muscles et d'impressionner les quelques pins qui s'égaraient parfois trop près de son lit. Elle n'hésitait pas alors à les enlacer pour une étreinte glacée et tumultueuse. Mais rien de très sérieux, même si on rappelait parfois quelques-unes de ses colères passées pour aussitôt en atténuer la portée.

Suspendu au-dessus du vide, "Dauphiné la Sincérité", assemblait les derniers éléments de l'échafaudage. Il risqua un oeil sur la rivière en contre-bas. Il ne la trouvait pas franche. Ses grondements avaient quelque chose de sournois, de menaçant.

Plusieurs fois il s'était demandé pourquoi il s'était laissé convaincre de participer à une aventure qui n'avait rien de très raisonnable à l'époque du béton précontraint et du ferraillage massif... Aujourd'hui un pont se faisait en béton, en bon béton bien gris, certes un peu triste mais tellement rassurant...

En tous les cas, pas en châtaignier.

Quand le maire d'Aujoux, que tout le monde ici appelait le "René", avait débarqué avec son enthousiasme, son bagou, ses plans et ses cotes, "Dauphiné la Sincérité", avait pourtant trouvé le projet magnifique. Très vite, il avait rendu les armes même s'il savait que cela faisait au moins un siècle qu'on n'avait pas construit de pont en châtaignier dans la vallée.

Gilles Aharonian dit "Dauphiné la Sincérité" est à plusieurs milliers de verstes à la ronde le seul charpentier arménien. Comme le veut la tradition du compagnonnage, pendant sept années pleines, il avait parcouru toutes les routes des provinces de France pour percer les mystères de son métier de charpentier, pour rencontrer de vieux compagnons qui allaient lui léguer les secrets de leurs tours de mains, qu'il transmettrait, il le savait, un jour à de plus jeunes. Il avait travaillé la charpente des clochers de vieilles églises en Lorraine. Il avait assemblé en tenons et mortaises d'énormes pièces de chêne qui soutiendraient le toit d'une grange jurassienne.

En Normandie, il avait même découvert la façon dont on avait posé les bardeaux de châtaignier du pigeonnier d'Ango, un des plus beaux de France avec ses tuiles polychromes et ses mille six cents boulins, ces alvéoles aménagées dans les murs qui servaient de niche aux pigeons des seigneurs.

Mais jamais il n'avait imaginé qu'un jour on lui demanderait de construire un pont en châtaignier. C'était comme réveiller une histoire endormie, aller se nourrir aux sources du passé, fraterniser avec la tradition. A dire vrai, il n'avait pas été peu fier qu'on le choisisse lui, le petit arménien...

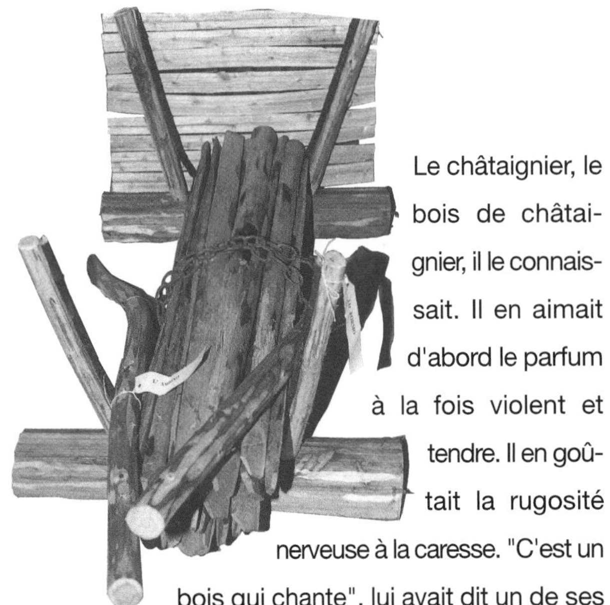

Le châtaignier, le bois de châtaignier, il le connaissait. Il en aimait d'abord le parfum à la fois violent et tendre. Il en goûtait la rugosité nerveuse à la caresse. "C'est un bois qui chante", lui avait dit un de ses maîtres pendant son tour de France. "Pour l'apprivoiser, tu commences par le caresser , car c'est un bois doux avec ses très longues fibres, qui se scie bien, qui se rabote bien", avant de conclure "tu sais, n'oublie jamais que c'est un bois qui a du coeur..."

"Dauphiné la Sincérité", sur le moment n'avait pas compris ce que voulait lui dire exactement son vieux maître cévenol. Ce n'est qu'au fil de son apprentissage, et au terme de sa longue initiation, qu'il avait perçu le sens de ses paroles et su apprivoiser le coeur du châtaignier.

Pour construire ce pont, il avait d'abord fallu abattre de l'autre côté de la rivière, cent vingt beaux châtaigniers de douze mètres à la cime. Impossible de prétendre qu'ils étaient arrivés à maturité car cet arbre peut vivre mille ans et son tronc atteindre les dix mètres de circonférence. Il se murmure même qu'il faudrait au moins cent chevaux pour faire le tour du plus vieux châtaignier du monde. Il se trouverait en Sicile et alimenterait la légende de "l'arbre aux cent chevaux". En l'occurrence, ici il s'agissait de reconquérir une châtaigneraie laissée à l'abandon pendant des décennies.

Pour y réussir il fallait d'abord commencer par couper des arbres, afin d'éclaircir une futaie devenue impénétrable pour que la lumière puisse à nouveau les irriguer de sa générosité.

A notre époque stressée et pressée, le rituel de la coupe avait observé la règle séculaire des six saisons, à savoir que les arbres avaient été abattus à la fin de l'été, qu'ils avaient séchés sur place avec leurs feuilles pour qu'elles tirent la sève et accélèrent le séchage. On les avait ensuite débardés en hiver, sciés au printemps et mis en place à l'automne suivant.

C'était une façon de respecter le bois, de le remercier. Les scieurs de long avaient tiré des châtaigniers les deux cent cinquante pièces nécessaires à la construction du pont.

"Dauphiné la Sincérité" et ses compagnons les avaient d'abord assemblés sur un gabarit dans l'atelier de Maurice Traversier, le charpentier. Ils avaient pu ainsi vérifier qu'elles s'emboîtaient au millimètre les unes dans les autres, que l'ouvrage était équilibré et élégant.

Le travail était précis mais facile. En revanche, "Dauphiné la Sincérité" savait qu'il allait falloir des muscles et de la sueur pour monter à dos d'homme chacune de ces pièces et les assembler à la main dès qu'ils auraient achevé la construction de l'échafaudage.

Le compagnon charpentier en ressentait d'avance les meurtrissures dans le gras de l'épaule tandis qu'il surveillait l'Auzène du coin de l'oeil. En relevant la tête, son regard avait croisé un vol de corbeaux en croix qui remontaient vers le nord. Les anciens affirmaient que c'était mauvais présage.

Même dans ses pires cauchemars, jamais "Dauphiné la Sincérité", n'aurait pu imaginer le spectacle qu'il avait maintenant sous les yeux. La rivière était montée de quatre mètres pendant la nuit, elle s'était transformée en un fleuve de rage et de colère.

Elle charriait des arbres morts qui ressemblaient à des cadavres dans ses flots boueux, surtout dans un de ses moments de folie destructrice, elle avait emporté l'échafaudage qu'ils avaient mis plusieurs jours à monter. Ce n'était plus qu'un enchevêtrement de poutrelles métalliques qui arrêtaient branches et troncs, un pantin désarticulé et pitoyable. On ne pouvait même plus se parler dans le grondement assourdissant et colérique de l'Auzène que de mémoire d'homme on n'avait jamais vu comme ça.

D'ailleurs qu'est-ce qu'on aurait bien pu se dire. On n'avait plus rien à se dire. On n'avait plus rien d'autre à faire que de laisser le découragement déchirer sa poitrine, couler le long de ses bras et retenir ses larmes.

Quand "Dauphiné la Sincérité" vit le "René"qui avait porté le projet pendant des années - cela ne faisait-il pas soixante-dix ans qu'on espérait ce pont pour relier les deux rives de l'Auzène à cet endroit et rapprocher deux moulins à huile qui s'épuisaient depuis des années dans un face à face silencieux et stérile - Il crut l'entendre crier, hurler sa colère et son impuissance dans le grondement de la rivière.

Le maître charpentier devina sur-le-champ les pensées du maire d'Ajoux :

- Jamais on ne parviendrait à rouvrir ce chemin qui traversait de part en part la châtaigneraie, une route que les dragons de Louis XIV avaient empruntée pour surprendre et massacrer des parpaillots qui s'étaient réfugiés à Saint-Pierreville. Alors "Dauphiné la Sincérité" sut ce qu'il avait à faire... C'est presque enjoué qu'il dit :

- Ce n'est rien... ne vous faites pas de souci, on va remonter l'échafaudage, dès que la rivière sera apaisée. Si un moment le maître charpentier avait vu dans la colère de l'Auzène une sorte de punition divine pour avoir voulu braver le passé comme les Dieux de la Grèce Antique punissaient les hommes qui succombaient au péché de la démesure, il sut que ce pont, il le construirait coûte que coûte et qu'on en parlerait encore un siècle plus tard.

L'Ardèche avait toujours été un pays de bâtisseurs de ponts, mais surtout en pierre, rarement en bois. N'empêche, qu'à leur façon, "Dauphiné la Sincérité" et René Feougier ne faisaient que s'inscrire dans cette longue lignée de bâtisseurs. Et quelques mois plus tard, c'est eux qu'on fêtait. Verres de Viognier d'Ardèche en main, une troupe d'officiels devisait gaiement. A sa tête, "le René", ceint de son écharpe tricolore. Quelques instants auparavant, il avait été le premier à marcher sur le tablier du pont comme pour en tester la solidité. Et il en avait fait sonner avec une jubilation non dissimulée les planches de châtaignier.

Tous ceux qui avaient mis la main au gousset pour financer l'ouvrage étaient là : conseillers généraux, conseillers régionaux, il y avait même un sénateur, de quoi étoffer la dimension républicaine de la cérémonie, sans oublier monsieur le maire d'Issamoulenc. Dans les discours, on avait célébré l'esprit de la tradition retrouvée, la nécessaire reconquête de l'espace par le châtaignier. En clair on avait beaucoup philosophé sur l'arbre emblématique de l'Ardèche. On en avait profité aussi pour rappeler quelques unes de ses vertus cardinales comme sa faible porosité qui le rend imputrescible... Avec le châtaignier pas besoin de recourir à une multitude de produits chimiques pour préserver son bois de la voracité des insectes et des larves, ce qui évite de polluer la terre.
Le grand mot fut même lâché par un conseiller général ému et bedonnant :
- C'est un arbre écologique...
Il mérite plus que jamais notre respect, alors que les inventions de l'homme moderne portent une atteinte irréversible à notre environnement...

L'envolée lyrique n'altérait en rien la justesse du propos. A une époque prisonnière de ses contradictions et vouée au productivisme le plus effréné, se livrant en une délectation suicidaire aux excès de la mondialisation, acceptant de jouer aux apprentis sorciers avec les OGM, le châtaignier n'est-il pas, par comparaison, ce qu'il n'aurait jamais dû cesser d'être : un repère solide, rassurant, un arbre authentique, un arbre de vie, puisque c'est la verité de la terre qui coule dans sa séve.

Il faut savoir par exemple, à propos des OGM, comme le souligne le professeur de biologie moléculaire, Gilles-Eric Seralini, que les doses d'insecticides sécrétées par les plantes transgéniques sont de dix à cent mille fois supérieures à celles dispersées lors d'un épandage classique, insecticides et pesticides ne s'éliminant plus puisqu'ils sont alors présents à l'intérieur de la plante. Et quand on connaît l'impact des pesticides sur le système immunitaire et nerveux, les risques de cancer qu'ils induisent, il n'y a pas vraiment de quoi être rasséréné.
Le châtaignier est aux antipodes de ce jeu dangereux.

On redécouvre son rôle dans la préservation de l'espace naturel, dans le maintien de la diversité biologique de la forêt méditerranéenne, aux altitudes où il prospère, entre quatre cents et douze cents mètres. On redécouvre que le châtaignier est la meilleure protection qui soit contre le feu. Des Cévennes à la Lozère, en passant par le Rouergue et la Corse, il compte de plus en plus de partisans qui insistent à la fois sur son rôle économique et écologique. Aujourd'hui un coup d'arrêt décisif à été porté à son déclin. Le châtaignier est en quelque sorte devenu un arbre militant, un arbre de passion.
Et pouvait-on imaginer meilleure façon de relier passé et avenir, coutume et espoir que ce pont taillé dans des arbres abattus sur place.
Si on avait voulu faire de ce pont le symbole de la relance de l'exploitation du châtaignier, on y avait parfaitement réussi. L'ouvrage permettra également de reconquérir une châtaigneraie de plusieurs dizaines d'hectares pour exploiter son bois et récolter un jour ses fruits, en multipliant les nouveaux semis, les greffes en couronne ou en flûte et les recépages .

Et René Feougier, alors qu'il s'apprêtait à passer la main à son successeur à la mairie, n'en continuait pas moins de gamberger, l'esprit aiguisé, il est vrai par quelques verres de Viognier, un cépage récemment replanté dans le sud de l'Ardèche et qui donnait un vin aux arômes de miel et d'agrume, et l'oeil émoustillé par les jolies jambes de l'attachée de presse sénatoriale.
- On va construire une scierie de châtaigniers... elle appartiendra à la commune et chacun pourra venir y faire débiter son bois...
Et puis à côté de la scierie, on montera une clède - la casetta en Corse, un hangar de séchage pour les châtaignes.
- On l'alimentera en brûlant les déchets de la scierie... et puis, et puis...
Il faut d'abord les rêver pour que les choses se produisent.
"Dauphiné la Sincérité" et René Feougier avaient rêvé juste. Il s'en est pourtant fallu d'un cheveu pour qu'ils n'aient jamais à rêver car le châtaignier a failli purement et simplement être rayé de l'espace cévenol.

La castanéiculture remonte au Moyen Âge. Elle s'est développée dans toute cette vaste zone méditerranéenne, des Cévennes aux massifs des Maures sans oublier la Corse, ni les versants océaniques du Limousin ou du Rouergue. Elle a prospéré sur ces sols siliceux, dans la fraîcheur et la chaleur de son climat.
Déjà en 1313, dans les Cévennes ardéchoises, "la charte des Vans" instaurait la première réglementation connue de la culture de la châtaigne. En Corse elle sera encouragée dès le XIVème siècle par les marchands génois qui administrent l'île jusqu'en 1768 avant de la vendre à la France. Dès cette époque le châtaignier justifie sa réputation "d'arbre à pain" ou d'arbre de la providence, car jamais pays de châtaigniers n'a connu la famine.

Grâce à la technique du séchage son expansion s'accélère dès le XVIème siècle. Il connaîtra son âge d'or aux XVIIème et XVIIIème siècles avec des taux d'occupation des sols pouvant atteindre 70%. En altitude il permet aux populations locales de conserver le même niveau de vie que celui des habitants des plaines voisines. Jusqu'au début du XXème siècle, une bonne récolte est même synonyme de prospérité pour l'exploitation agricole et surtout de rentrée d'espèces sonnantes et trébuchantes pour les familles qui en ecoulent les surplus sur les marchés de Béziers, de Montpellier, d'Aubenas ou de Propriano. Les années de bonne récolte, les familles trouvaient là l'argent indispensable pour acheter le vêtement neuf, la semence de seigle, la nouvelle charrue... Mais même au cours de son âge d'or, la castanéiculture a toujours connu des hauts et des bas. Un hiver plus froid qu'un autre et les plus vieux châtaigniers disparaissaient, plongeant le paysan dans un désarroi que seul un fatalisme séculaire permettait de surmonter...

Paradoxalement, Olivier de Serres et son fameux "Théâtre d'agriculture et du message des champs" qui dans son modernisme même l'apparentait à une forme contemporaine de l'agriculture raisonnée, ont failli sonner le glas du châtaignier. En effet, dans son traité, le seigneur du Pradel y affine des théories audacieuses qui répondent à l'injonction d'Henri IV de développer la culture du mûrier pour l'élevage du ver à soie. Le mûrier chassera peu à peu le châtaignier jusqu'au coeur même de ses terres de prédilection en Ardèche. Un affront culturel dont faillit ne jamais se relever l'arbre de la providence.

Plus tard il y sera concurrencé par l'extension des cultures de la pomme de terre ou des arbres fruitiers d'un bien meilleur rapport en Aveyron ou dans la région des Boutières. Mais ce qui manquera de lui être fatal reste une nouvelle fois la soie et son industrialisation galopante. Vers 1820, un obscur chimiste lyonnais inventa un procédé pour la teindre à partir du tanin du châtaignier.

La découverte équivalait à un arrêt de mort d'autant que le procédé allait s'étendre aux tannages des peaux...

On procéda alors à des coupes massives de châtaigniers centenaires pour satisfaire la voracité industrieuse des tanneries.

Des arbres qui faisaient l'orgueil de plusieurs générations furent abattus sans vergogne, sacrifiés sur l'autel d'une industrialisation naissante mais déjà triomphante. Comme les usines à tanin se multiplient dans la deuxième moitié du XIXème siècle, à Génolhac, à Ponteils, à Saint-Sauveur de Montagut, à Joyeuse en Ardèche, à Folleli, à Ponte-Leccia en Corse, dans un beau mouvement d'inconscience collective et sacrificielle, les superficies de châtaigneraies se réduisent comme peau de chagrin.

On estime que pour le seul département d'Ardèche et pour la coupable satisfaction économique des tanneries , un million de châtaigniers a été abattu entre 1900 et 1960, date à laquelle les tanins synthétiques sont venus in extremis sauver l'arbre de la providence.

A cette époque il n'y avait pas encore d'écologistes qui venaient jouer les empêcheurs d'abattre en rond si bien que dans la seule année 1955, 40 000 tonnes de bois de châtaigniers avaient été transformées dans les usines de Corse, autant dans celles des Cévennes.
Le massacre était parfaitement compréhensible à défaut d'être légitime et judicieux puisqu'un arbre abattu et vendu rapportait autant que dix-huit récoltes successives. Dans le même temps, le châtaignier devait aussi faire front aux attaques sournoises de la maladie de l'encre...
Une autre offensive plus pernicieuse encore celle-là, a failli donner le coup de grâce à cet arbre indéracinable. C'est celle des mentalités, quand l'arbre de la providence est devenu l'arbre de la honte.
Dans l'inconscient collectif des sociétés rurales le châtaignier s'il apportait la prospérité, s'il chassait la famine, s'il était "la grâce ultime que la nature jetait aux affamés", comme l'a si joliment écrit, Michel Peyramaure, il n'en véhiculait pas moins l'image d'une certaine pauvreté. Il était attaché aux temps difficiles.
Et quand avec le développement des moyens de communication qui marqua la fin de la vie autarcique des campagnes, en particulier dans les zones de moyennes montagnes ; quand le formica chassa de la ferme la solide table de chêne ou de châtaignier qu'on se léguait de génération en génération et qui allait faire le plus grand bonheur du tiroir-caisse des antiquaires quelques décennies plus tard, on rejeta en bloc tout ce qui pouvait rappeler ce passé. Une campagne qui s'embourgeoisait reniait son histoire et ses racines.
Alors on vit de plus en plus de châtaigneraies à l'abandon et retourner à l'état sauvage.
C'est le moment de le dire, de le clamer haut et fort, les châtaigneraies de Corse, des Cévennes, d'Ardèche ou du Limousin ont alors été sauvées par quelques fadas qui n'ont pas hésité à s'armer de bertols, de saquets et de fourcoles pour aller escalader les pentes les plus abruptes et s'assurer d'une maigre récolte qui ne payait même pas le prix de la sueur.
Ils renouaient avec une religion qui avait été celle de leurs ancêtres : la religion du châtaignier car

cette histoire là était bien affaire de conviction et de passion, parce que qui voulait encore des châtaignes ?

A part quelques marchands forains qui les faisaient griller au milieu des flonflons caramélisés de la fête, personne. Même les cochons, que l'on nourrissait dorénavant avec des farines animales, les boudaient. On les abandonna alors avec une moue dédaigneuse à leurs cousins, les sangliers.

En une ou deux décennies, la récolte des châtaignes est ainsi passée en Ardèche de plus de 15 000 tonnes à moins de 7 000.

Les partisans de l'agriculture productiviste et intensive qui n'éprouvaient qu'un mépris hautain envers le châtaignier et tout ce qu'il représentait, triomphaient...

D'ailleurs la télévision qui allait pourtant la réinventer bien des années plus tard sous la forme voyeuse, trouble, et salace d'une "Loft Story" aussi abêtissante que malsaine, n'avait-elle pas tué définitivement la veillée où l'on se parlait à l'infini du bonheur d'être ensemble autour d'une rôtie de châtaignes.

Le temps des châtaignes on le croyait fini, hormis quelques originaux qui s'en pourléchaient encore les babines.

L'économie condamnait le châtaignier.

Elle ne savait pas, la malheureuse, que par un cheminement aussi mystérieux qu'inéluctable et qui allait révéler au grand jour tous les excès du productivisme, dont la maladie de l'ESB devenait un des symboles les plus forts, le châtaignier préparait en silence et dans le secret une éclatante revanche. Par la grâce d'une époque déboussolée et inquiète du devenir de son ventre, le fada se muait en sage.

# Quand les fadas deviennent des sages

-Elle était venue de Limoges en vélo....

Elle portait une robe blanche et des socquettes de la même couleur. Quand elle s'est arrêtée pour me regarder travailler et s'est appuyée contre le cadre de sa bicyclette, la poitrine haletante d'avoir monté une côte un peu trop raide, j'ai eu l'impression de voir toute la beauté du monde... Elle porta sa main en visière au-dessus de ses yeux rieurs pour se protéger du soleil et me demanda un peu d'eau... J'aurais été lui en chercher à l'autre bout de la terre. Jean Brie éclata d'un rire espiègle, plein de mélancolie... Les feuillards étayent les souvenirs. Soixante ans plus tard, il conservait intact celui de cette rencontre improbable entre lui, l'enfant pauvre et illettré qui trimait depuis l'âge de douze ans dans les bois de châtaigniers et cette demoiselle de la ville à l'éducation policée un peu plus âgée que lui. C'était juste pour lui offrir un peu de fraîcheur qu'il l'invita à entrer dans sa "loge" autrement dit sa cabane de feuillardier qu'il avait construite l'hiver précédent, au centre de plusieurs hectares de taillis de châtaigniers qui allaient faire de bons et solides feuillards, une "loge" semblable à celle où il se trouvait aujourd'hui.

Non, il n'avait aucune arrière-pensée. A bientôt quatre-vingts ans , Jean Brie se surprend encore à le jurer... En un tour de rire et sans gêne aucune, elle se retrouva nue et couchée sur le sol de la loge immergée dans une litière de feuilles de châtaignier et de copeaux. Sur la pointe du coeur, il est entré dans le secret de son ventre pour un bonheur fugace et sans lendemain. C'est souvent ce genre d'offrande de l'amour qui permet à l'homme de rester debout quand surviennent les orages de la vie. C'était la guerre...

Jean Brie est un des derniers feuillardiers. Il a le visage tanné de soleil mais peu de rides. Il est aussi sec et souple que les longues tiges de châtaigniers qu'il continue de tailler à l'envie, mais aujourd'hui seulement pour le plaisir et pour garder la main. Ce qui ne l'empêche pas d'avoir rassemblé près de quinze mille de ces feuillards disposés en plusieurs tas et alignés en cordeau devant sa loge. Il suffit d'observer Jean Brie qui s'est installé à califourchon sur son banc de coupe se saisir de son "couteu" et commencer à trancher le bois pour imaginer le travail et la sueur que cela représente quinze mille feuillards qui feront des piquets de clôture indestructibles.

Jean Brie a édifié ce qui sera sans doute sa dernière cabane en bordure d'une petite route de campagne à quelques encablures de Marval, au coeur d'un de ces taillis de châtaigniers qui lui ont fourni durant toute sa vie, sa matière première. Elle est faite de branchages et de chutes de bois inutilisables empilés les uns sur les autres.

On affirme que son architecture rudimentaire remonterait à l'époque des Gaulois. Elle a d'évidence quelques ressemblances avec une hutte primitive. En tous les cas, la possibilité d'en faire un nid d'amour même éphémère démontre au moins qu'elle n'est pas sans confort...

Les taillis de châtaigniers se parent au début du printemps d'une belle couleur mordorée. Des dizaines de tiges aussi raides que des points d'exclamation partent des souches recépées.

Ce sont ces tiges, ces rejets, qu'au bout de sept ou huit ans, parfois quinze, c'est selon l'usage auquel elles sont destinées, qui seront coupées pour faire des feuillards, c'est-à-dire, des bois fendus dans le sens de la longueur et aplanis sur une seule face.

Autrefois on en faisait des paniers à homards car le bois de châtaignier résiste même à l'eau de mer, aujourd'hui surtout des échalas de vigne, des piquets de clôture, qui supportent les intempéries sans pourrir. Il suffit de suivre Jean Brie pour comprendre pourquoi ce travail continue d'assurer une certaine prospérité à une vingtaine de communes qui constituent le pays des feuillardiers à la frontière du Limousin et du Périgord, de Châlus à Dournazac, d'Oradour-sur-Vayres à Cussac; un pays d'étangs et de bocages, de molles collines et de châteaux alanguis, d'églises romanes dont les clochers sont couverts de bardeaux de châtaignier.

Le prince des arbres y est omniprésent mais d'abord élevé pour son bois et non pour ses fruits. Sans ces scieries, ces artisans et leurs coups de gueules contre le temps, contre le cours des choses, contre l'époque qu'ils ne comprennent guère, ce pays serait mort, aurait perdu son histoire.

L'oeil de Jean Brie qui se faisait l'instant auparavant de velours à l'évocation des tendresses qu'une fille de la ville avait eues pour lui, s'est brutalement aiguisé quand il a fallu choisir la tige qu'il allait transformer en feuillard d'un coup de lame pour le plaisir de la démonstration, de faire admirer la pureté de son geste dans un élan de cabotinage aussi espiègle que fier. Auparavant il avait serré autour de sa taille sa ceinture de feuillardier faite de demi-rondins attachés sur des lanières de cuir qui lui évitera de se déchirer le ventre quand il remontera d'un coup sec la lame du "couteu" vers lui. Le geste est si vif, le coup de lame si rapide, que l'on a eu à peine le temps de comprendre qu'il venait d'écorcer la tige de châtaignier avant de la fendre en deux.

Les piquets s'entassent à même le sol devant la loge au fur et à mesure que les gestes se répètent. Des gestes que des cars entiers de touristes viennent analyser, disséquer, admirer, comme si tous ceux qui s'arrêtaient là refusaient de rompre le fil qui les reliait à leur mémoire.

Les cars qui s'arrêtent c'est du folklore, l'émerveillement de ceux qui en descendent garantit l'avenir du feuillardier. Dans d'autres villages, des plus jeunes ont déjà pris le relais de Jean Brie.

- C'est important que le métier ne meure pas car des clôtures de champs, des échalas pour la vigne, il en faudra toujours et ce sont les propriétés du châtaignier qui les rendent indispensables.Jean Brie est presque volubile quand il brise le silence pour évoquer d'autres souvenirs, le temps où l'on éclairait la loge avec la lampe à carbure, le temps où l'on allumait un feu dans sa partie la plus reculée pour faire réchauffer la gamelle de fer blanc, remplie d'un immuable petit salé accompagné de haricots.

«Rendez-vous compte, à cette époque on comptait bien trente ou quarante loges autour de Dournazac...» Toutes, elles bourdonnaient de vie. Dans un soupir résigné il constate que ce temps là tire à sa fin, que le temps des fêtes des feuillardiers est définitivement révolu.

- C'était une fête d'hommes... on se rassemblait dans une seule loge, ce jour-là on était les rois du monde. Les femmes nous avaient mis dans les gamelles de la nourriture un peu meilleure que d'habitude et surtout beaucoup plus de vin dans les gourdes ou dans des bouteilles que l'on avaient rebouchées d'un coup sec de la paume...

On emmenait parfois même des bonbonnes, vous imaginez, des bonbonnes.

On ne faisait rien d'extraordinaire, simplement on parlait, on mangeait et on buvait toute la nuit, on éclusait des chaudrons et des chaudrons de rôties de châtaignes.

Jean Brie se souvient d'une de ces fêtes où la bonbonne était sans doute plus aguichante que d'habitude, toujours est-il que vers trois heures du matin, il se retrouva sur le toit de sa loge avec son vélo, tous ses compagnons se tordaient de rire, il y avait de la buée qui sortait des bouches dans le froid de l'hiver. Il y avait de la neige et des moqueries qui fusaient drues.

A l'évocation de ces souvenirs le regard de Jean Brie s'embue. La fête des feuillardiers, c'était tout les 22 janvier. C'était autrefois...

## Dieu a le cul entre deux chaises

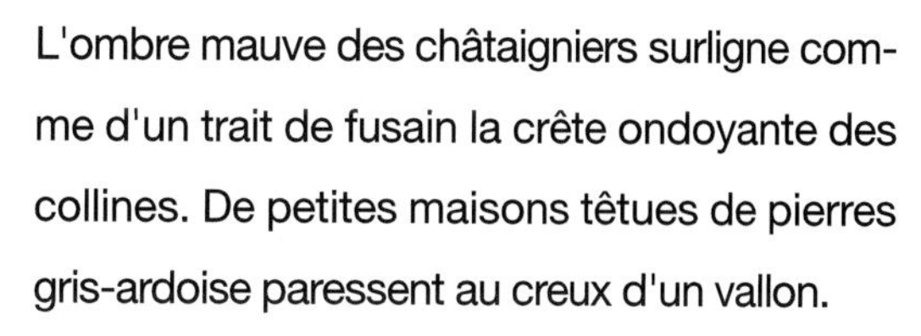

L'ombre mauve des châtaigniers surligne comme d'un trait de fusain la crête ondoyante des collines. De petites maisons têtues de pierres gris-ardoise paressent au creux d'un vallon.

Le roux flamboyant des robes d'indolentes vaches limousines incendient les prairies.

L'histoire a marqué de son empreinte et de ses légendes le coeur du pays des feuillardiers, un pays secret, authentique, un pays d'eaux vives et d'étangs, un pays où le châtaignier a fait civilisation.

Il a offert des bois de charpente pour le clocher des églises et les toits des châteaux.

D'ailleurs, des châteaux il y en a partout comme si la région s'amusait à contredire sa réputation de pauvreté. Château de Brie, Château de Marval, Château de Châlus, qui sert de sépulture à Richard Coeur de Lion. C'est sous les murailles de ce château commencé au XII$^{\text{ème}}$ siècle et achevé au XVII$^{\text{ème}}$ qu'il fût blessé grièvement en avril de l'an 1199.

Il y a aussi le château de Montbrun, aux pelouses impeccables avec sa tour carrée, et sa motte castrale conservée en l'état qui n'était qu'une butte de terre qu'on entourait de palissades de châtaignier pour repousser les assaillants, un château primitif en quelque sorte . Les noms de tous ces châteaux s'égrènent comme une invitation à entrer dans le donjon du passé. Tout indique qu'ici, on peut se nourrir de l'histoire.
L'histoire n'intéresse guère Pascal Raffier, ou alors la sienne et celle de sa famille.

Sa famille, on peut en parler. Elle a toujours eu la passion du châtaignier et a su en vivre depuis trois générations près de Bussière-Galant. Pascal Raffier est un géant débonnaire et massif au regard franc, limpide. Il a les yeux couleur de source et ressemble à ses arbres qu'il aime tant.Il perpétue une tradition tout en ayant réussi à la faire évoluer. Car si à l'origine son grand-père n'était qu'un feuillardier parmi tant d'autres, il est devenu vannier avant que son petit-fils ne s'oriente vers la fabrication de meubles de jardin, certes à l'élégance rustique mais qu'il expédie aujourd'hui en Finlande, en Norvège ou au Danemark.
A Bussière-Galant, l'atelier de l'artisan est devenu entreprise. On y travaille en famille, les plus jeunes ont appris les gestes en regardant les anciens, c'est de cette façon très simple que s'est transmis un savoir-faire séculaire. Et c'est avec une sorte de bonheur gourmand que l'aïeul vient donner la main les jours de trop forte activité. Il faut le voir enlever les noeuds d'une tige d'un coup de lame habile pour comprendre la dimension quasi mystique de cet attachement à un des plus beaux métiers du châtaignier.

Le grand-père avec ses vêtements de coutil, et son sourire heureux n'est pas très différent de Jean Brie. On sent que les deux hommes ont été taillés dans le même bois, ont été façonnés par la même histoire.

A quelques pas de lui, Pascal Raffier coupe dans le fil d'une planche de châtaignier les éclisses qui serviront à tresser l'assise des sièges et des fauteuils qu'il fabrique.

La machine est précise. Il faut régler sa lame au dixième de millimètre. Après, c'est affaire de coup de main. Là encore il faut que le geste accomplisse des merveilles.

Pendant ce temps, dans un autre coin de l'atelier, son épouse sort dans un jet de vapeur, les "gaulettes" de châtaignier qu'elle avait mises à étuver une heure auparavant dans un bac de fonte chauffé par un foyer qu'on alimente avec les chutes de bois et qui répand une odeur âcre de fumée. Leur séjour dans une eau portée à ébullition leur donneront la souplesse indispensable au cintrage.

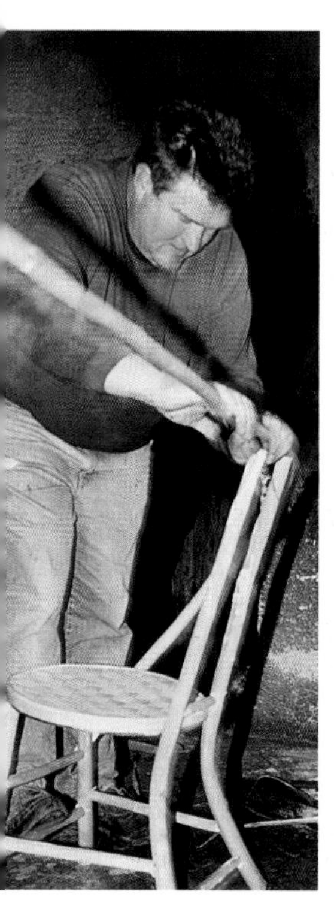

Elle les écorce ensuite comme on enlève la peau d'un serpent mort avant de les plier d'un coup de genou pour leur donner le galbe d'un dossier, d'un accoudoir.

Gestes cent fois, mille fois répétés qui donnent le sentiment qu'ils ne s'arrêteront jamais tant chacun ici met d'attention à les accomplir. Gestes ancestraux dont la maîtrise a exigé des années et des années d'apprentissage.

C'est ce qu'explique Pascal Raffier qui ne lésine ni sur son temps ni sur ses souvenirs pour faire partager sa passion, sa religion. On découvre alors derrière l'activité débordante d'un homme qui ne semble jamais reprendre souffle, la patience infinie du pédagogue.

Il raconte d'abord comment dans sa famille, on en est venu à passer, presque par hasard, de la fabrication du feuillard à celle des sièges, ce qui représentait à l'époque dans le village, un exemple d'ascension sociale :

- C'est mon père qui a commencé. Il a fabriqué de petits sièges bas qu'on installait devant la cheminée afin d'être plus à l'aise pour surveiller les châtaignes que l'on faisait griller...

On a commencé à en faire un pour les voisins et ainsi de suite.

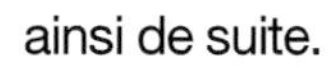

Voilà comment naît une histoire. Elle serait incomplète sans les coups bas du destin. A côté de l'atelier de vannerie il y avait un important troupeau de limousines dont Pascal s'occupait; à dire vrai, la vannerie ne l'attirait guère. Ses séjours dans l'atelier étaient plutôt épisodiques, juste le temps nécessaire pour son oeil d'adolescent curieux de capter quelques gestes essentiels mais fragmentaires... Lui voulait être éleveur. Mais avant qu'on ne parle de la vache folle, bien d'autres épidémies pouvaient s'abattre sur un troupeau et ruiner une exploitation bien plus sûrement qu'une soirée au casino.

C'est une attaque de la brucellose qui décima le troupeau de la famille Raffier, obligeant Pascal à se montrer beaucoup plus assidu à l'atelier de vannerie. Il ne le regrette pas, lui qui n'avait jamais entretenu avec le châtaignier qu'un rapport éphémère et lointain au moment de la cueillette des cèpes. Car il faut le préciser, selon des règles qui restent assez mystérieuses, c'est toujours sous les châtaigniers que l'on trouve les meilleurs cèpes... Entre l'élevage qui lui tendait les bras et les bras d'un fauteuil, Pascal Raffier avait longtemps hésité. C'est le destin qui a choisi pour lui. En tous les cas, une chose est d'ores et déjà certaine, Pascal Raffier ne commettra pas avec son fils les mêmes erreurs que son père a commises avec lui.

C'est toute la gamme des gestes qui font battre le coeur de l'atelier, tous les gestes liés au mouvement perpétuel de la mémoire qu'il lui enseignera pour qu'il puisse lui succéder en temps voulu. D'ailleurs le fils est là dans l'atelier. Il observe autant qu'il travaille.

La nostalgie est un sentiment qu'il ignore. Le passé ne l'intéresse guère.

Lui, c'est dans l'avenir qu'il se projette, un avenir lié au renouveau du châtaignier que l'on replante à tour de bras dans la région.

Des subventions comprises entre huit mille et douze mille francs par hectare, sont les bienvenues pour doper le sens civique des exploitants.

Ces châtaigniers sont replantés pour leur bois afin de respecter les coutumes de la région. Mais il faudra attendre entre cinquante et soixante ans pour obtenir des grumes digne de ce nom.

Au pays des châtaigniers on cultive surtout la patience...

- Mon fils voudrait rester avec moi, le travail lui plaît, ce serait alors la quatrième génération qui travaillerait dans cet atelier.

- Qu'est-ce qui l'en empêche ?

- Mais la femme pardi... Il devra trouver une femme qui accepte de vivre dans un village aussi modeste. Une femme des bois en somme, ajoute Pascal Raffier dans un grand éclat de rire.

Il n'éprouve aucune nostalgie à l'égard d'un monde, d'une société en voie de disparition.

Des fauteuils qui ressemblent aux siens, on en trouve même à "la Redoute". Il ne s'agit en aucune façon des fortins Renaissance capables de résister aux tirs de mousquets et de bombardes mais bien du catalogue de la société de ventes par correspondance éponyme. C'est bien la preuve que les objets en châtaignier sont en train de se réinstaller dans notre quotidien. Et c'est par semi-remorques entiers que ses fabrications partent vers les pays scandinaves contribuant ainsi à l'équilibre de la balance commerciale de la France... Bien sûr cela rapporte un peu moins de devises qu'un Airbus, mais c'est tout de même une part de l'âme de la France qui s'exporte de cette manière. Pascal Raffier a rationalisé ses espoirs. En conservant l'appellation générique de son métier d'origine, il a créé avec d'autres artisans une association dénommée la "manufacture des feuillardiers".Que des artisans individualistes au possible acceptent de faire cause commune, ne serait-ce qu'à travers une association, est à coup sûr le signe d'une évolution positive même si ses moyens d'action sont plutôt limités.

Pascal Raffier le déplore, mais grâce à elle, ils ont tout de même réussi à monter quelques expositions dans plusieurs grandes métropoles pour présenter le travail de chacun.

Une telle démarche était impensable seulement cinq ans en arrière. Elle marque à coup sûr la résurrection du bois de châtaignier.Et pour être certain que ses efforts ne s'arrêtent pas en cours de route, il ouvre toutes grandes les portes de son atelier aux écoles de la région.

Par cars entiers les collégiens, les lycéens viennent observer ce qui, sans qu'ils en aient vraiment conscience, leur permet de renouer avec les racines d'un passé pas tellement lointain. Dans le flux des questions, dans la multiplication des remarques, dans l'atmosphère dissipée et joyeuse qui accompagne chacune de ces visites que la majorité des enfants considèrent comme une récréation supplémentaire, perce parfois une vraie curiosité, une vraie admiration.

C'est comme si, dans l'univers de personnages virtuels devenu le leur, ressurgissait malgré tout le besoin irrépressible de se rattacher à un univers concret.

- Et qui sait, deux ou trois d'entre eux se découvriront peut-être une vocation.

- C'est important pour vous?

-Oui, car j'aurais le sentiment d'avoir rempli...heu... ma mission.

Pascal Raffier est songeur tandis qu'il achève un fauteuil qui prendra bientôt la direction de la Hollande portant très loin le rayonnement d'un métier qui a bien failli disparaître.

L'homme a aussi ses colères, de celles que l'on retient au fond de soi devant les autres mais qui vous consume la poitrine comme une maladie de la terre.

Il n'admet pas que les bois les plus nobles, les grumes sans roulure, prennent le chemin de l'Espagne ou du Portugal parce qu'ici, au pays des feuillardiers, on ne trouve plus d'artisans capables de les transformer en meubles. C'est comme si on avait coupé un membre à la confrérie, comme si elle était devenue bancale.

Or, le hasard qui sait si bien déjouer les pronostics les plus sombres des hommes, ce que d'aucuns appellent parfois le clin d'oeil du destin, semble l'avoir entendu.

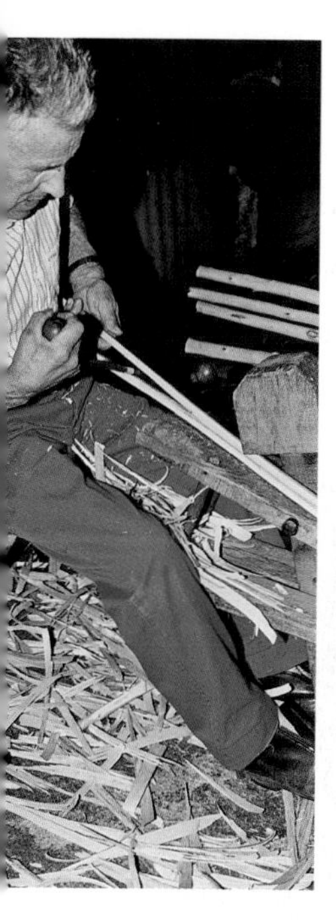

Il y a cinq ans, Régis Maingot, s'arrêtait dans le village des Cars, situé à quelques kilomètres seulement de Bussière-Galant. C'était un étranger. Il venait du Poitou, autant dire de la Lune... Sa curiosité avait été piquée à vif par les ruines de l'ancienne forteresse féodale seul vestige d'un château du XIIIe siècle qui a abrité pendant des lustres et des lustres la résidence des gouverneurs du Limousin. Un coup de coeur pour un paysage, pour les maisons en encorbellement de pierres sculptées du village, un éblouissement devant cette lumière à la fois douce et âpre qui baigne les ruelles silencieuses peuvent changer le cours de votre vie et parfois aussi celle des autres. Régis Maingot n'ira pas plus loin. Il s'installera ici pour travailler le bois, ce sera du châtaignier.

L'homme est volubile, intarissable sur sa nouvelle passion.

On dirait même parfois qu'il a l'intransigeance quasi sectaire de tous les nouveaux convertis et quand il raconte, c'est pour convaincre.

C'est pour faire partager sa passion.

- J'ai commencé dans un tout petit atelier à fabriquer des plinthes en châtaignier pour un artisan qui posait des parquets.

La machine était lancée. Elle ne s'arrêtera plus. Elle empruntera un itinéraire bien étrange et sinueux puisqu'à l'origine, ce néophyte dans l'art de travailler le châtaignier, était professeur de littérature. Moderne de surcroît... Mais le travail sur les mots, les spéculations sur la profondeur de l'âme d'auteurs qui se complaisent dans le mystère ou l'affabulation, fussent-il du siècle, ne le satisfont qu'à moitié. Ce qu'il aime, c'est toucher, c'est fabriquer quelque chose qui se caresse.

Il sera donc menuisier. Artisan-menuisier dans le Poitou pour être précis. Un accident provoqué par une machine rétive aurait pu anéantir à jamais cette passion flamboyante pour le bois.

S'il le laisse légèrement handicapé, il le conduira simplement à immigrer en Limousin pour y installer un atelier protégé. Il offre ainsi à d'autres handicapés, mentaux ceux-là, le bonheur de se sentir utiles en pouvant travailler.

Aprobois était née.Aujourd'hui c'est une belle entreprise qui emploie une dizaine de personnes et dans laquelle on fabrique des meubles en châtaignier, complétant du même coup le chaînon manquant de la filière bois du pays des feuillardiers et à laquelle il contribue avec d'autres à rendre un avenir.Ce ne fut pas facile au début. Il fallut commencer par vaincre la méfiance, voire l'hostilité des habitants du village quand le bruit se répandit comme une traînée de poudre qu'il avait embauché des handicapés.

C'est au moins la moitié des habitants du village qui défila sous un prétexte ou sous un autre dans l'atelier comme pour voir jusqu'où on peut approcher sa main d'une flamme sans se brûler. Ils jaugeaient la situation...

On affectait la politesse, on saluait de deux doigts portés à la visière de la casquette, on posait sa question qui n'avait rien à voir avec l'objet réel de la visite tandis que l'on scrutait du coin de l'oeil, un handicapé qui glissait une pièce de bois sous les dents de la scie à rubans, ou qu'on observait son voisin qui assemblait en queue d'aronde les pièces d'un tiroir.

Eux étaient tout sourire, épanouis qu'on les regarde, fiers d'avoir un public et si heureux de manifester leur tendresse.
Qui sait ? C'est peut-être la nature si particulière de leur sourire qui leur permit de réussir leur examen de passage et de rester "aux Cars".
On était venu pour la méfiance, on repartait avec un drôle de pincement au coeur.
C'est sans doute la même sève qui coule dans les veines de Régis Maingot et de Pascal Raffier. L'ancien "prof de lettres" reconverti menuisier aurait pu se contenter d'ouvrir un atelier ordinaire dans lequel on travaille à la chaîne, de belles planches rectilignes d'au moins vingt mètres sous la toise et qu'on débite sans aucune chute. Un bois sans défaut mais sans âme...C'eût été écouter les voix de la raison. C'était sans compter avec le coup de foudre - Il n'y a pas d'autres mots - qu'éprouva Régis Maingot pour le châtaignier, à cause de ses défauts même. Ce bois qu'il ne connaissait guère, il voulut l'apprivoiser. C'était peut-être aussi une manière de payer son tribut à la région qui l'accueillait.
- J'ai voulu travailler l'essence locale, c'est aussi simple que cela...

Je ne comprenais pas la désaffection dont était victime le châtaignier.
- Vous vous en êtes rendu compte ?
- Oui, immédiatement.
- Et alors ?
- Le châtaignier vous lance un vrai défi...
Dans un chêne, vous pouvez obtenir des billes qui font sept à huit mètres de long, avec le châtaignier on parle de billons. C'est tout dire. Dans le meilleur des cas, les planches ne dépasseront pas deux mètres cinquante. Cela nous oblige à repenser toute la façon de fabriquer... C'est ce qui m'a plu.
- Et la roulure ?
- Elle nous berne.

C'est une fente qui sépare les cernes du bois et qui rend le tronc impropre au sciage... Une vraie calamité car on ne peut pas la détecter quand l'arbre est sur pied...

- Savez-vous que ce défaut physique est fréquent sur les arbres de plus de cinquante ans, plus rare sur ceux qui ont entre vingt et trente ans, rarissime sur le sarrane, une variété de l'Aveyron ou de Corrèze, sans que l'on sache vraiment pourquoi... C'est en fait le rhumatisme du châtaignier.
- Vous n'avez pas d'explication ?
- Aucune rationelle, en tous les cas. C'est juste un constat mais qui nous empoisonne la vie.
- C'est peut-être pour cette raison qu'on l'a délaissé.
- Sans doute...

Mais moi je trouve au contraire que c'est ce qui le rend excitant à travailler.Il faut faire preuve d'une extrême vigilance pour l'apprivoiser, il nous défie, c'est un bonheur.

Apparemment ce bonheur, Régis Maingot peut le savourer tout son soûl, car les difficultés n'ont pas manqué, mais elles n'ont pas eu raison de lui.

De la fabrication des plinthes en châtaignier, il est passé à celle des pergolas, et des pergolas à la conception et à la fabrication des meubles de jardin que les propriétés physiologiques du bois rendent imputrescibles. Il fabrique aussi des bacs à fleurs qui ornent les espaces publics, des meubles de cuisine. Il réalise des aménagements de salons de coiffure...

Pas de doute pour ce nouvel héraut de la cause châtaignière, si l'essence à un avenir, il est écologique parce que le châtaignier ne réclame aucun traitement, son tanin faisant fuir les insectes.

D'ailleurs les plus importantes commandes pour Aprobois proviennent de pays comme la Hollande et le Benelux où le sentiment écologique est beaucoup plus développé qu'en France.

# Comment on a sauvé la fabrication du panier en châtaignier dans le Limousin

Dans la vitrine de l'atelier d'Aprobois ouverte sur l'extérieur, histoire d'éveiller la curiosité des voyageurs qui empruntent la route de Richard Coeur de Lion, pavoisent de nombreuses pièces en vannerie. Régis Maingot est un littéraire qui sait vendre...

Là aussi le hasard a donné son petit coup de patte pour l'aider à écrire cette nouvelle saga. Après tout, ceux dont on dit qu'ils ont de la chance, ne font peut-être que savoir saisir le hasard au vol ? En tous les cas, c'est bien parce qu'un jour -cela commence comme un conte- un riche marchand de foie gras du Sud-Ouest s'est arrêté devant sa vitrine que Régis Maingot a relancé à grande échelle la production de vanneries en châtaignier. Voilà l'histoire.

Vous imaginez une puissante voiture qui s'arrête sur le terre-plein. En descend un homme de forte corpulence, le visage épais, le cou enserré dans le carcan du col de chemise, il a l'accent rocailleux et le sourire faussement jovial de ceux qui sont parfois un peu trop sûrs d'eux-mêmes.

Il porte sur une chemise de couleur vive chiffonnée par le voyage et la sueur, une paire de larges bretelles décorées de cloches et de poules... Des bretelles de Pâques en somme... Son accent le trahit plus sûrement qu'un passeport. Il est à la fois fait de rocaille dont les arêtes s'arrondissent de bonhomie et de notes douces comme du réglisse. Il aime glisser les pouces entre sa chemise et ses bretelles comme pour en imposer au monde.

- Vous pourr...riez me fairr..e des pann...ières.
- Des paniers ?
- Oui, des pann...ières. Des petits.

Et il montre la taille entre son pouce et son index.

- Oui bien sûr.

Dans ce cas là on répond toujours oui bien sûr même si on n'a absolument aucune idée de la façon, mais pas le moindre soupçon d'idée, dont on fabrique un panier en châtaignier. Et en plus, il faut un couvercle qui ferme.

- Il m'en faudr... rait au moins dix mille... C'est pour expédier mon foie-gras à NewYork. Il faut que tout soit prêt pour les fêtes de fin d'année.

Plus d'un aurait été abasourdi.

Plus d'un aurait déposé robot et plane sur l'établi pour reprendre ses esprits. Mais il en faut beaucoup plus pour désarçonner un "littéraire qui sait vendre reconverti en menuisier de châtaignier".

Et Régis Maingot s'entendit répondre

- Pas de problème, vous recevrez un spécimen et le devis dès votre retour.

Régis Maingot s'enquit aussitôt d'un artisan qui n'aurait pas perdu le coup de main, qui saurait débiter les éclisses avant de les tisser, d'un ancien qui saurait lui transmettre son savoir.

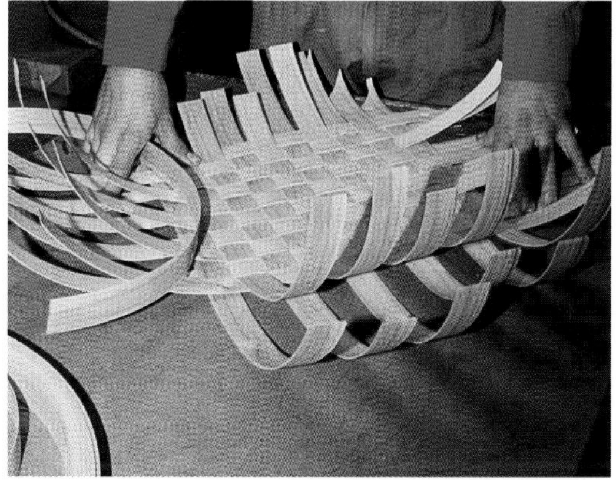

Il tombera sur quelqu'un qui n'avait plus touché à la vannerie depuis des lustres mais qui avait conservé la mémoire du geste.

Il s'appelait Roland Dijoud. Il aurait aimé se remettre lui-même à la fabrication des paniers mais était incapable d'en fabriquer en aussi grande quantité. Alors l'un et l'autre ont travaillé ensemble, Roland Dijoud a fabriqué les éclisses et formé les hommes de l'atelier. Ils ont beaucoup tâtonné, hésité avant de réapprendre à maîtriser un savoir-faire qui se perdait. Finalement la commande se limitera à deux mille paniers...

Les dix mille, c'était pour faire saliver le chaland, un procédé classique de maquignon pour obtenir des prix plus bas. Mais dans l'entreprise le pli était pris.

On avait sauvé la fabrication de la vannerie. Tout en continuant à se perfectionner, Régis Maingot et ses compagnons ont osé d'autres formes et d'autres méthodes de fabrication.

Il est même allé en Espagne pour trouver le moyen d'industrialiser la fabrication des éclisses. En Limousin, elle est tranchée dans le fil d'une planche, elle est donc lisse mais fragile.

A la frontière de l'Espagne et du Portugal, en pleine montagne, il est un village qui compte autant de vanniers que d'habitants. Leurs machines taillent les éclisses dans le bois rond, ce qui permet de les fabriquer à partir de taillis de châtaignier et d'obtenir des lamelles beaucoup plus longues car travaillées dans le sens du bois.

Ce sont des centaines de pièces qui sortent chaque jour de ces ateliers ou l'habileté des hommes a sans doute quelque chose à voir avec le diable...

Un vieil espagnol qui avait le visage tanné de soleil mais un regard intense et chaud accepta de lui céder une de ces fameuses machines...

Depuis Aprobois est devenu le premier fabricant français de vanneries en châtaignier. Panier à linge, panier à bois, panier à souvenirs, panier-décor qu'on installe juste pour la beauté de l'objet et qui nous ramène à des valeurs sûres.

Le succès a réveillé un vieux métier, comme un air ancien réveille la mélodie du bonheur, mais cette valse des courbes de production n'a pas tourné la tête à ce "littéraire qui sait vendre reconverti en menuisier de châtaignier". Il continue à fourmiller d'idées, à multiplier les projets et les dessins, à s'arracher dans le mouvement perpétuel de la passion, à la douce quiétude que procure parfois la réussite pour rêver à d'autres créations. Le châtaignier ne supporte pas les demi- mesures ni les tièdes. Quand il vous prend, c'est en entier.

Régis Maingot a même osé un sacrilège, un mariage contre nature qui ont failli le faire excommunier par les purs et durs qui s'étaient autoproclamés les gardiens du temple de la tradition. Il a osé, comme on surmonte sa timidité pour inviter la plus belle fille du bal, introduire le châtaignier sur le Net grâce à la création d'un site avec la fédération des ateliers protégés. Autour de lui, on a dénoncé cette incongruité car que pouvait bien aller faire dans l'univers du virtuel "le maître du terroir", comme on surnomme parfois l'arbre à pain. Malgré leur désapprobation, voilà le châtaignier enrégimenté sur le Net pour défendre les valeurs de la permanence et de l'authenticité et accessoirement pour vanter les productions d'un atelier qui est devenu une espèce de ruche bourdonnante dans le village des Cars.

Si on remonte dix ans en arrière, personne n'aurait pu imaginer que le châtaignier allait reprendre du service, s'installer sur le Net pour s'y montrer aussi à l'aise que dans sa forêt natale, et qu'il allait porter bien haut l'étendard de la tradition limousine.

En attendant, quand les premières commandes en provenance de l'autre bout du monde ont fait crépiter les fax de l'entreprise, on a fait la fête chez Aprobois, avant d'expédier en Argentine, en Israël ou au Brésil, bacs à fleurs, paniers à linge, pergolas.

Le mariage de raison entre le Net et le châtaignier confirme la promesse d'une renaissance. Le plus dur à présent pour Régis Maingot serait plutôt de trouver du bois en quantité suffisante. S'il tient à se fournir en châtaignier auprès des producteurs locaux, il concède du bout des lèvres que souvent la quête d'un bois de qualité s'apparente à celle du Graal, même si on recommence à planter des châtaigniers car les propriétaires forestiers se sont mis au diapason de ce nouvel engouement qui sort le châtaignier de sa longue quarantaine.

Mais il faut du temps pour faire un arbre et il faudra que ce mouvement de sympathie dure et ne soit pas qu'un phénomène de mode passager pour rendre au châtaignier la place qu'il occupait jadis sur l'établi.

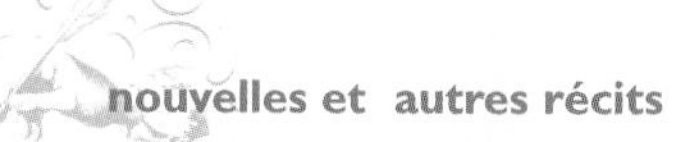


# La passionaria de la Bouche rouge

C'est un hôtel sorti tout droit d'un roman anglais ! On a dû y croiser des personnages venus y soigner des mélancolies tenaces, des dandies volubiles, une veste de tweed jetée négligemment sur l'épaule, le col de leur fine chemise de lin blanc maintenu ouvert malgré la fraîcheur du soir ; on a pu y rencontrer des joueurs placides qui avaient encore le coeur à plaisanter aux bras de jeunes filles beaucoup plus jeunes qu'eux et qui riaient trop fort, malgré les sommes faramineuses qu'ils venaient de perdre au casino voisin.

Nous étions en 1930...

Vals-les-Bains a conservé de l'âge d'or des villes d'eau un côté suranné, désuet, malgré l'irruption récente des bandits manchots. L'hôtel du Vivarais est le reflet fugace de cet âge d'or, avec ses rideaux en macramé, son atmosphère feutrée et confortable, ses gerbes de blé séché et ses bouquets d'iris, ses baignoires sur pieds à tête de lion et ses tapisseries pastel.

Dans l'entrée, il y a même un buffet en noyer sur lequel s'empilent négligemment quelques pots de miel de châtaignier ou de confiture de châtaigne faite maison comme le certifient de petites étiquettes soigneusement calligraphiées et maintenues autour du couvercle par des cordons de tissus rouge et blanc. Ici, à coup sûr, Proust retrouverait son "temps perdu"...

L'impression est-elle erronée ? Mais alors même que Christiane Giuliani-Brioude est en train de préparer des homards en cuisine, on dirait que c'est un fumet de châtaignes rôties qui se répand dans la salle du restaurant...

Christiane est d'une lignée de femmes de cuisine.

Quatre générations s'étaient déjà succédées dans l'auberge familiale de Neyrac, quand cette ardéchoise pure souche quitte mère et grand-mère pour s'endetter jusqu'au cou et racheter cet hôtel art-déco à la société des eaux minérales de Vals-les-Bains, acte passé chez Maître François-Régis Masseboeuf, notaire, le 17 novembre 1967. Coup de tête ? Pure folie ? Dès cette époque, les augures sont nombreuses pour prédire à Christiane la catastrophe. Mais la demoiselle à déjà du caractère et ne s'en laisse pas conter. Elle sait où elle veut aller puisqu'elle vient de claquer la porte de l'école hôtelière de Strasbourg pour cause de machisme ambiant.

- Pensez donc ! Il n'y en avait que pour les hommes. La grande cuisine leur était réservée. Les rares femmes présentes étaient considérées comme quantité négligeable et vouées aux tâches ménagères... Autant dire "fais la vaisselle et tais-toi...".

Bien des années plus tard, la "passionaria de la Bouche-rouge" en bout encore d'indignation. Elle leur démontrerait à cette caste "empantalonnée" et "méprisante" que "grand cuisinier" à aussi un féminin et qu'en cuisine on peut porter une jupe et taquiner les étoiles...

Aujourd'hui la table de l'hôtel du Vivarais est une des plus renommées du pays. C'est à Neyrac, au milieu de ce gynécée du fumet que mère, grand-mère et tante initient la petite Christiane à tous les secrets de la cuisine et en particulier, lui apprennent l'art de préparer comme personne la Comballe ou la Bouche-rouge, deux des variétés parmi les plus nobles de la châtaigne d'Ardèche.Dans cette atmosphère joyeuse et gaie, les recettes s'improvisent, se cherchent pour se nourrir en définitive du talent de chacune. L'adolescente curieuse est tout ouïe, le nez au vent des odeurs, déjà sûre d'elle quand il fallait rajouter une pincée de sel à une poêlée de cèpes cueillis sous les châtaigniers ; fière qu'on lui accorde le privilège de rajouter des épices au "sauquet", ce plat typique fait du sang de chevreau que l'on a versé sur des feuilles de laurier et des blettes.

Jeune, la plus jeune de toutes ces femmes, c'est elle qui est naturellement préposée à la préparation de la "payrolle". Plus qu'une habitude, c'est le cérémonial d'un monde paysan qui ne se hâte guère d'entrer dans le modernisme comme s'il pressentait déjà qu'il y laisserait une part de son âme...

Alors l'enfant jette dans la gueule béante de l'énorme chaudron - c'est la payrolle - épluchures, restes de pain, ou de viande que les clients de l'auberge n'ont pas terminés, raves, pour préparer un brouet odorant, qu'elle agrémente de quelques poignées de châtaignes à l'automne, dont vont se régaler les cochons. Les châtaignes c'est pour terminer de les engraisser. Elles donnent davantage de fermeté à la viande et un petit goût de noisette qui fait saliver. Surtout le gras, le lard du jambon ne rancit jamais quand, dans les dernières semaines de sa vie, le cochon a été nourri de châtaignes. C'était peut-être aussi une manière de se faire pardonner le sacrifice en améliorant l'ordinaire de ses derniers repas.

Coutume qui explique pourquoi les Corses continuent de faire la meilleure charcuterie du monde puisque les cochons à demi-sauvages font des châtaigneraies leur royaume, les dernières semaines de leur vie.

Dans les campagnes corses, cévenoles, limousines ou ardéchoises, la châtaigne servait aussi à nourrir les hommes. Pour cette raison on l'a baptisé "l'arbre à pain". Partout où il a affirmé son règne il n'y a jamais eu de famine. Le fait est inscrit dans la mémoire collective de la société rurale. On mettait les châtaignes à blanchir dans le "toupi", un chaudron d'une taille plus modeste que la "payrolle". Il pendait aux crémaillères accrochées dans les foyers de chaque cheminée. Les châtaignes y cuisaient doucement sur un lit de pommes de terre.

Quand le repas était prêt, on se le partageait à la table commune. Les châtaignes rôties exhalaient le fumet du bonheur...

Ce bonheur que la nostalgie des souvenirs dessine en clair-obscur.

Le repas était rustique et humble. Il tenait au corps. Images à jamais fixées sur le sépia de la mémoire comme les sels d'argent fixent la lumière, qui ne livreraient de la civilisation de la châtaigne que ces chromos désuets et tendres pour les enfermer à jamais dans la prison d'un musée imaginaire ?

A Neyrac, on allait rappeler avec brio que c'était une civilisation vivante, moderne. De cette époque date les premiers contacts de la "petite Brioude" avec la châtaigne. C'est déjà affaire de sensualité. Le prisme n'a pas assez de couleurs pour décrire toutes les sensations, les émerveillements

de l'enfant devant la nudité joufflue du fruit.
Il n'en faut pas plus pour susciter une vocation... Civilisation moderne ? Vivante ? Oui, car c'est au milieu de toutes ces femmes que le statut de la châtaigne en cuisine a imperceptiblement changé de dimension. Ce sont ces femmes qui ont procédé à son sacre culinaire dans leur auberge de Neyrac. Une tradition séculaire avait cantonné la châtaigne dans l'assiette du pauvre ; ces femmes de cuisine l'ont ennoblie.
Elles ont été les premières à deviner tout le parti que l'on pouvait tirer de ses arômes, à jouer avec ses sucs, à oser des associations de saveur si subtiles, qui allaient sans qu'elles en aient vraiment conscience faire franchir à la châtaigne la frontière qui sépare la cuisine de tous les jours de la gastronomie. Les recettes qu'elles ont concoctées sont là pour en témoigner. La "petite Brioude" les a recopiées sagement dans un cahier d'écolier à carreaux et s'en inspire encore aujourd'hui. Elles étaient pleines d'audace pour l'époque comme celle de cette fameuse soupe, le "cousina" que l'on vient goûter d'Angleterre, d'Espagne, d'Amérique et qui fait de la châtaigne un bijou de grande valeur quand il est présenté dans l'écrin d'un art culinaire authentique.
Mais c'est aussi à Neyrac qu'elle ressent un choc qui va la marquer, quand elle découvre avec effarement que l'élévation du niveau de vie dans les campagnes risquait d'être fatale à la châtaigne à laquelle s'attachait l'image de la pauvreté comme la terre collait aux sabots.
La pauvreté est un état qu'un monde rural qui s'embourgeoise et se met à singer la ville préfère oublier. A partir des années soixante-dix, la récolte de châtaignes ne cesse de décliner en Ardèche et ailleurs, puisqu'on y délaisse les châtaigneraies pour succomber au charme d'un productivisme qui annonce déjà tous ses excès futurs. On plante à tour de bras des arbres fruitiers aux rendements élevés et immédiats. Ceux qui dénoncent ce mirage ne sont pas écoutés.

Alors la cause est entendue, Christiane Giuliani-Brioude partira en croisade, elle défendra ce qu'elle considère comme un patrimoine irremplaçable. A la châtaigne qui deviendra le symbole du territoire ardéchois, elle associe des volailles élevées dans la tradition par des petits producteurs locaux.

Elle choisit des légumes qui n'entrent dans sa cuisine qu'à condition d'avoir pris le temps de pousser dans des carrés de terre fumée à l'ancienne sans apport d'engrais chimiques.

Quand elle fait son marché, elle ausculte, elle soupèse, elle examine, elle exige un cursus de "légume honoris causa".

Elle interroge sur les méthodes de culture ; le mot écologie existe à peine dans le dictionnaire mais elle en applique déjà tous les préceptes.

Elle en fait sans le savoir comme Monsieur Jourdain de la prose... vous connaissez l'histoire. D'ailleurs on l'appelle la "fada" du marché. Elle n'a guère plus de vingt ans, elle n'en a cure. Avec elle la châtaigne a trouvé son héroïne.

- Vous pouvez passer à côté d'elle sans jamais la connaître. On a l'impression qu'elle étouffe, qu'elle pèse sur l'estomac. Balivernes. C'est tout le contraire... La châtaigne est pleine de subtilité, de saveurs secrètes. Celle de la comballe n'a rien à voir avec celle de la Bouche-rouge ou de la Sardonne.

Et là Christiane Giuliani-Brioude est péremptoire, dogmatique, quasi sectaire :

- Il faut choisir la variété en fonction du plat que vous voulez préparer.

- On ne peut pas choisir n'importe laquelle ?

- Non, surtout pas. Il faut observer des règles élémentaires. Pour accompagner une viande, une volaille, une comballe est préférable à une bouche-rouge, mais contrairement à une légende on fait d'excellents marrons glacés avec les Bouches-rouge...

Il faut aussi travailler la châtaigne au bon moment, c'est-à-dire à l'automne pendant la récolte, avant qu'elle ne passe en chambre froide.

En embrassant la religion de la châtaigne, Christiane Giuliani-Brioude en a écrit le bréviaire. Dès cette époque, elle transforme son paisible hôtel du Vivarais en quartier général pour conduire l'offensive qui allait enrayer le déclin de

la châtaigne et amorcer la reconquête. Elle ne fut pas seule, mais c'est elle qui déploya le plus d'entêtement, qui démontra le plus de force de conviction sans jamais se départir de ce sourire indulgent, éclairé par un regard malicieux que protégent de drôles de lunettes rondes.
La demoiselle est jolie. Elle sait en jouer. L'hôtel du Vivarais devient un haut lieu de la conspiration châtaignière...
On y organise à trois ou à quatre d'inoubliables assemblées générales ; le gros des troupes rejoindra la conspiration plus tard.
On y concocte des plans de campagne qui vont faire fuir les plus tièdes. Bien sûr on excommunie... mais peu... En l'hôtel du Vivarais la châtaigne a son temple, on y célèbre sur la pointe des papilles un culte délicat et savoureux.
On prépare la conversion des indécis.
Dans les années soixante-dix, les fêtes de la châtaigne ont complètement disparu en Ardèche. Ici, on mijotera leur résurrection. A l'origine c'est l'idée de "Goûtez l'Ardèche", un slogan génial qui deviendra une marque déposée avec charte de qualité à l'appui et label d'authenticité pour

défendre les produits sélectionnés par un jury de dégustateurs chevronnés.
Ce jour-là, des restaurateurs ont préparé des plats élaborés avec des produits du terroir avant de les proposer au public.
Le projet s'était d'abord heurté au scepticisme général et certains qui avaient accepté ne l'avaient fait que du bout des lèvres. La fête attira pourtant plus de quatre mille personnes.
La passionaria de la bouche-rouge et sa mère distribueront comme des dames patronnesses à leurs pauvres, plus de cent litres de leur fameuse soupe à la châtaigne.

La tradition ardéchoise remportait sa première belle et grande victoire.

L'habitude était prise, l'impulsion donnée ; depuis, les fêtes de la châtaigne se sont multipliées comme les petits pains de la Bible.

De Joyeuse à Antraigues en passant par Saint-Pierreville ou Privas sans oublier Désaignes, ancienne place forte protestante cernée de remparts dans laquelle les visiteurs pénètrent par trois portes monumentales, les castagnades attirent plusieurs milliers de visiteurs à l'automne quand l'Ardèche est la plus belle.

Ces fêtes ont en commun d'être toutes de grandes kermesses du goût, un théâtre de la saveur dans lequel la châtaigne qui vient d'être récoltée joue le premier rôle.

On multiplie les doctes conférences autour de son histoire. On organise des ateliers sur le goût réservés aux enfants pour initier leurs palais à d'autres plaisirs que ceux du fast-food.

On multiplie les randonnées dans la châtaigneraie qui flamboie. Des conteurs la tire de son sommeil. Pendant ces jours de fête, la châtaigneraie rompt avec le silence comme on brise un secret. Elle s'offre avec une impudeur joyeuse.

C'est au cours d'un de ces multiples conciliabules tenus en l'hôtel du Vivarais auxquels participera de plus en plus souvent Paul Leynaud, autre héraut de la cause châtaignière que germera l'idée de créer un parc naturel dédié à la châtaigne.

Il faudra une bonne décennie pour que le parc des Monts d'Ardèche devienne une réalité administrative et qu'il codifie en quelque sorte le travail commun pour rénover la châtaigneraie et valoriser sa production. On rêve d'y construire un atelier collectif de décorticage.

On y lance une boisson au lait à base de châtaigne, autant dire que les projets fleurissent pour permettre à la châtaigneraie de remonter le temps.

Christiane Giuliani-Brioude sait d'instinct qu'aujourd'hui les batailles se gagnent devant l'opinion. Alors cette infatigable militante de la cause ardéchoise appuyée par les offices du tourisme locaux reçoit, depuis plusieurs années déjà, en moyenne une centaine de journalistes par an dont un grand nombre d'étrangers.

Ils deviendront les dépositaires de cet hymne à la châtaigne qu'on leur susurre avec conviction et chaleur.

Ils en seront les interprètes d'autant plus zèlés qu'il correspond aux aspirations profondes qu'ils croient déceler chez leurs lecteurs.

Ils joueront d'autant plus volontiers le rôle de plénipotentiaire qu'ils sont convaincus de la justesse de la cause.

C'est tout naturellement que Christiane Giuliani-Brioude les a précédés pour être la missi-dominici de la châtaigne. Elle n'a pas hésité à quitter l'univers rassurant de sa cuisine où elle règne en monarque absolu pour aller porter la bonne parole et faire la démonstration de la façon dont la châtaigne peut enluminer les papilles au Japon, au Canada, aux Etats-Unis.

L'Ardèche a profité largement de ces missions culinaires, de cette diplomatie du palais.

Jamais, sans cette action de communication de longue haleine, le nouveau blason de l'Ardèche n'aurait fleuri à travers le monde.

Pour l'heure Christiane Giuliani-Brioude est de retour au milieu du cocon rassurant de ses fourneaux. De temps en temps elle donne un ordre bref à son aide, qui ressemble plus à une prière qu'à un commandement :

- Il faut préparer les papillotes pour les truites... vous, Anne-Sophie, vous parerez deux pigeons qui seront farcis aux châtaignes.

Avant de s'occuper des pigeons, Anne-Sophie finit de trancher un jambon. La découpe est d'un beau rouge vif.

Le gras lui, est légèrement rosé ce qui signifie que la bête à été finie d'engraisser aux marrons...

Christiane elle, s'est installée devant sa table de travail. A chaque saison c'est le même rituel qui se répète. Avec une dextérité de dentellière, et la pointe de son couteau qu'elle tient entre le pouce et l'index, elle écorce des kilos et des kilos de châtaignes fraîches. Les fruits pelés, elle les fait bouillir dans le faitout qui chante sur la cuisinière. Elle aime cette chanson...Plus tard elle sortira les châtaignes avec l'écumoire. Quand les fruits seront encore tièdes elle enlèvera, toujours à la main et toujours de la pointe du couteau, la deuxième peau, celle qui donne l'amertume.

Le travail est fastidieux mais il rend Christiane Giuliani-Brioude heureuse. Ce bonheur-là est palpable. Il accomplit un bout de chemin en compagnie de l'odeur de la noix muscade qui domine celle du court-bouillon avant de faire mémoire buissonnière vers ce temps de l'enfance où la "petite Brioude" se fabriquait des robes avec des feuilles de châtaignier.

Le dicton, "robe de châtaignier fait robe de mariée" répété à l'envie par tantes et grand-mères lui promettait bonheur et époux si la robe était réussie. Le temps se décolore. On croit deviner l'ombre d'amours disparues derrière le regard qui s'embue. Ses plus belles noces après tout c'est peut-être avec la châtaigne que la passionaria de la "Bouche-rouge" les a célébrées.

# Un Don Quichotte du possible

- Paul, c'est merveilleux, on va réentendre le piano ! Il faut toujours que les femmes mettent de la musique dans la vie.

Lui, il a les reins brisés par la fatigue, il est au bord des larmes, il a les mains encore grises d'une couche épaisse de ciment qui se craquelle de partout et qui les fait ressembler à de monstrueuses pattes de sauriens et, elle, il faut qu'elle lui parle de musique comme s'il avait la tête aux flonflons... Chaque fois qu'il était en colère et qu'elle se mettait au piano dans leur appartement de ville qu'ils vont bientôt quitter, pour jouer une sonate de Mozart, comme pour le narguer, il criait :

- Tu ferais mieux d'arrêter tes flonflons et de venir m'aider !

C'était de la mauvaise foi masculine typique parce que son Mozart, il l'aimait plutôt bien. Il aimait surtout sa façon de masquer toute la tristesse du monde derrière deux ou trois arpèges enjoués... Alors, il les regarde ces mains qui viennent de rendre la maison de la Mère habitable.

Sur le dos il entrevoit des traces de sang séché qui proviennent d'écorchures auxquelles il n'a prêté aucune attention tandis qu'il redressait un mur. Plusieurs mois durant, il a ainsi effectué l'aller-retour entre Privas et Niegle - son nid d'Niegle comme il dit - partagé entre son travail de technicien à la Chambre d'agriculture et cette besogne de forçat pour remettre sur pied la maison qui tombait en ruine et dans laquelle ils ont décidé de revenir habiter comme on reprend possession de sa mémoire.

De cette façon, Paul Leynaud honorait aussi un serment qu'il s'était fait à lui-même quelque quinze ans plus tôt. Il s'était juré qu'il reviendrait et c'est bien de son retour qu'il s'agit. Il revient pour rendre la vie à une terre abandonnée.

C'est un regain.

Parfois un copain lui a donné la main pour les travaux les plus durs. Maintenant que le gros du travail est achevé - mais dans une maison on n'a jamais fini - il se sent désemparé, presque inutile. Tandis qu'il regarde, sans la voir, sa femme Jacqueline courbée sur une caisse qu'elle finit de vider avant d'aller se poster devant une fenêtre, les deux poings sur les hanches pour décider de l'emplacement où elle installera le piano, lui, tourne en rond.

Il est assailli de sentiments contradictoires. La crainte d'échouer à faire revivre cette terre qui fut jadis celle de son enfance, la sourde appréhension devant l'immensité de la tâche qui l'attend dans la châtaigneraie pour qu'elle recommence à chanter et à faire l'offrande de ses fruits aux hommes.

Il doute mais il y a aussi cette douce musique du bonheur qu'il éprouve à semer sa vie dans le sillon de ses racines. La femme a raison, on va réentendre le piano et forte de surcroît.

Paul Leynaud est sorti.

Sous l'à-pic de la maison, plusieurs centaines de mètres en contrebas, il perçoit le grondement assourdi de l'Ardèche que les pluies d'automne ont gonflée comme les veines au cou d'un haltérophile quand il soulève sa charge de fonte.

Malgré son pull-over qui n'a plus ni forme ni contour et qui avait dû être d'un bleu gentiane dans une vie antérieure, il sent le froid vif de l'hiver ardéchois le pénétrer. Il porte aussi le pantalon de velours côtelé qu'il enfilait pour plâtrer les murs. Il est constellé de tâches blanches qui ont séché formant des croûtes qu'il fait sauter machinalement d'un coup d'ongle tandis qu'il aspire une grande goulée d'air glacé qui lui fait comme le picotement du bonheur à l'intérieur de la poitrine.

Paul Leynaud avait déjà cette silhouette qui allait le rendre célèbre sur toutes les tribunes où l'on prendrait fait et cause pour la châtaigneraie, sur toutes les estrades où l'on forcerait élus et ministres à prendre conscience du rôle qu'elle pouvait jouer dans la préservation de l'espace naturel et le maintien des populations dans ces zones défavorisées de montagne. Elle n'est pas encore clairement formulée mais celui qui deviendra quelques années plus tard le président du comité national et interprofessionnel de la châtaigne et du marron - rien que le titre est déjà une profession de foi - a déjà en tête la phrase qui résumera toute sa philosophie

- La châtaigneraie est la colonne vertébrale autour de laquelle on doit organiser la reconquête d'un territoire et la civilisation du sud.

On peut l'imaginer au matin de ce 26 mars 1997 dans la salle surchauffée du vieux cinéma des Vans transformé en centre culturel.

Elle est pleine à craquer.

Il faudrait repousser les murs tendus de velours rouge pour faire rentrer le ban et l'arrière-ban du monde de la châtaigne. Comme c'est impossible, des délégués venus de Corse, d'Italie, d'Espagne, du Portugal, du Limousin, du Var ont investi un hall d'entrée paré de vieilles affiches de cinéma. Des Italiens un peu échauffés saluent la silhouette de braise de Silvana Mangano dans "Riz amer" et refusent d'y voir un mauvais présage.

D'autres suivront les débats sur des téléviseurs. Certains ne quitteront pas les stands installés sous le chapiteau où chaque délégation propose les meilleurs produits de son terroir. Sur celui de Corse, la "Pietra", une bière à base de châtaigne tient le haut de la chope et exhale tous ses parfums pour envoûter le Ministre de l'Agriculture de l'époque qui plongera avec ravissement les lèvres dans son décolleté de mousse.

Il y a même un stand pour le comité du marron de Redon, ce qui confirme que la châtaigne revient enfin dans l'imaginaire breton.

Pour organiser ces premières assises nationales de la châtaigneraie, Paul Leynaud a bataillé ferme. Il a croisé le fer pendant des mois et des mois avec tout ce que la puissance publique compte de fonctionnaires ouverts ou bornés.

Qu'elles aient réuni autant de monde, qu'elles se déroulent autour des thèmes qu'il a lui-même définis en consultant plusieurs centaines de producteurs à travers la France, c'est un peu sa victoire, une victoire de la passion.

Alors, devant cette salle bondée, quand il monte à la tribune, l'épais dossier, dans lequel il a consigné toutes ses propositions pour la châtaigne, sous le bras, il devrait exulter.

Il est seulement inquiet et paralysé par l'enjeu puisqu'il sait que de ces assises dépend le futur développement de toute la châtaigneraie française.

Quand il arrive à la tribune on sent qu'il est ému. Il porte une élégante veste beige à chevrons, des lunettes cerclées de métal, qu'il remet machinalement en place au moment où il se râcle la gorge pour prendre la parole... Paul Leynaud a le corps sec et noueux comme taillé dans un sarment de cinsault, un visage émacié dont les angles sont adoucis par un collier de barbe gris argent qui se termine par une touffe épaisse et broussailleuse qui prolonge l'oblique du menton.

La chevelure abondante est également blanche, c'est une chevelure de tribun ou...de poète. D'ailleurs il ressemble à un barde. Il y a surtout son regard, l'intensité d'un regard couleur châtaigne, vif sous d'épais sourcils eux aussi en broussaille. Il n'y a que du feu dans ce regard-là. Parfois aussi, beaucoup d'ironie.

Quand il happe le vôtre, il ne le lâche plus jusqu'à ce qu'il ait réussi à vous convaincre. Ses mains sont agiles, élégantes et ponctuent un débit rapide haché par la passion, les dernières syllabes de petites phrases sèches qui claquent comme des coups de fouet souvent gommées par l'émotion. Il les émaille de mots empruntés à la langue cévenole.

L'homme est comme cela, tout d'un bloc, convaincant mais tourmenté, rempli de certitudes mais multipliant les interrogations, le discours tendu vers l'avenir de cette châtaigneraie qu'il défend bec et ongles depuis de nombreuses années déjà. Il en a fait une cause.

Il parait indéracinable et en même temps fragile. Il se méfie des technocrates qui débarquent dans le monde agricole avec leurs préjugés, leurs costumes et leurs cravates. En même temps il a des réactions d'écorché quand il ne réussit pas à les convaincre. Mais lui au moins il sait de quoi il parle quand il brosse l'avenir de la châtaigneraie.

- Monsieur le Ministre, Messieurs les Députés...(1)

Il sait de quoi il va parler, il a pour lui, l'expérience. C'était un 1er janvier il y a longtemps déjà. Ça fait date dans sa mémoire. La maison de la mère qu'il venait tout juste de faire renaître de ses ruines comme on tire quelqu'un d'un long sommeil, les attendait lui et sa femme Jacqueline. Il faut toujours qu'une cheminée fume pour montrer au monde que la vie s'est réinstallée. Et la cheminée fumait, un mince filet bleu qui s'aiguisait contre l'acier du ciel d'hiver.

Le piano pouvait rejouer... Il était accordé, accordé à leur bonheur lourd comme une promesse. Il y avait surtout ces seize hectares de châtaigneraies à l'abandon pendant près de vingt ans. Tout juste seize hectares réglés comme du papier musique, seize hectares avec des arbres qui se prenaient les pieds dans les ronces, avec des branches desséchées par l'encre comme figées dans un ultime sursaut d'agonie.

(1) Voir: éxtraits du discours
de Paul Leynaud page ?

Il y avait aussi ces troncs marqués comme aux fers par des cicatrices de sève noirâtre qui s'écoulait de l'écorce.
Le spectacle était désolation.
Il en aurait fait fuir plus d'un.
Mais Paul savait que l'encre était la maladie de l'abandon, qu'il suffisait d'irriguer un peu en réactivant les béalières [1], de fertiliser un peu le sol pour que la vie chasse le champignon des racines et que la sève se remette à chanter dans le corps du châtaignier.
L'encre n'était, après tout, que sa plainte, le cri qu'il lançait aux hommes pour que l'on ne l'abandonne pas.
Tous ces châtaigniers étaient là, sur la colline au sol acide qui surplombait la maison de la Mère.
Dans l'hiver glacial ils étaient comme honteux de ne plus donner de fruits. Ils semblaient vouloir griffer de colère le ciel livide et lancer un défi aux hommes qui les avaient abandonnés. Paul Leynaud était un Don Quichotte du possible, un repris d'injustice, alors, les défis, lui, le stimulaient.
Il suffisait de se mettre au travail, voilà tout.
Autour de lui on avait crié au fou quand il avait évoqué la possibilité de revenir à Niegle. Les bonnes âmes ne lui avaient pas donné une chance sur cent de réussir. Il avait affronté l'ironie, les moqueries. Il avait supporté les sarcasmes, les mêmes qui avaient fait chanceler Christiane Giuliani-Brioude, sa soeur en déraison qu'il apprendrait à connaître plus tard.
Comment ? Abandonner un avenir tracé au cordeau dans les instances agricoles, délaisser le confort de la théorie pour se frotter aux réalités du terrain, il fallait être un peu fêlé comme on dit dans le sud et autour du lui, on ne s'est pas privé de le dire.
Comment leur expliquer que c'était justement cet avenir rectiligne qui l'angoissait, qui le consommait à petit feu.
Et si on était fêlé chez les Leynaud, on ne l'était qu'à demi puisque l'épouse conservera un travail de bureau à mi-temps pour faire rentrer un peu d'argent à la maison et assurer des fins de mois qui ne pouvaient être qu'aléatoires.

(1) Béalières : petits fossés que l'on creuse dans les châtaigneraies pour les irriguer.

L'après-midi, elle s'occupera des cinq chèvres qui étaient aussi du voyage de retour.
C'était un avenir planifié dans l'incertitude qu'ils s'étaient offerts.
Ils s'en faisaient une raison de vivre.
Lui, commencera par planter avant même de s'occuper de la châtaigneraie.
Planter de la vigne pour pouvoir offrir du vin aux copains qui viendraient à s'arrêter dans une maison où un jambon est toujours accroché à une poutre pour un repas d'éclats de rire et d'amitié.
Il plantera des pieds de syrah qui donneront de l'embonpoint au vin, des pieds de gamay pour le fruit et de cinsault juste pour l'élégance et la musique des syllabes.
Paul Leynaud était revenu au pays poussé par des sentiments contradictoires. Il y avait d'abord l'orgueil de prouver à tous ces pisse-froid du rêve castanéicole qu'il était capable d'appliquer à lui-même les théories qu'il développait quand il essayait de convaincre les producteurs incrédules que la châtaigne avait encore un avenir.
Qu'elle pouvait apporter le complément de ressources indispensables au maintien de l'activité dans ces zones de montagne où le châtaignier trouvait à la fois chaleur et humidité. A l'époque, plus grand monde ne croyait à cet avenir qui devenait un enchantement dans la bouche de ce "Don Quichotte du possible". Alors Paul Leynaud tempêtait, tonnait, contre ces rabat-joie.
- Bon sang ! Il suffirait d'un peu de volonté pour que tout reparte... Passez un peu plus de temps dans vos châtaigneraies et un peu moins au bistrot (à l'occasion Don Quichotte savait provoquer ses moulins à vent...) et vous verrez comment elles vous le rendront...

Je vous le dis, elles vont vous le rendre au centuple. Là le ton se faisait prophétique.
- On est resté la première région productrice de France malgré toutes les avanies que notre châtaigneraie a subi, ce n'est pas par hasard, alors réfléchissez.
- Mais les cours ?
- Quoi les cours !
- Ils ne sont pas bons.
- Produisons d'abord puisqu'il y a de la demande, les cours, on verra plus tard, avant d'ajouter songeur, ils seront bien obligés de nous payer notre peine.
Paul Leynaud a toujours voulu enraciner ses rêves dans la réalité économique.
C'est ce qui fait sa force. De Saint-Pierreville à Jauzac, de l'Argentière à Antraigues, plus les visages se ferment, plus Paul Leynaud tonne et se révèle convaincant. Il trouvera très tôt un allié précieux en Daniel Vernol tant il est vrai qu'on ne peut rien entreprendre de grand en restant seul. Ces deux-là, on les sent complices, même s'ils s'agacent parfois mutuellement comme des dents qui grincent.
On peut difficilement imaginer deux personnalités plus dissemblables.
Autant l'un est sec, volubile, nerveux avec parfois le regard qui se perd vers on ne sait quelle contrée, autant l'autre est détaché de toute cette passion comme si cette croisade pour la châtaigne le concernait à peine.
Pourtant, lui aussi à suivi un chemin qui ressemble à celui de Paul Leynaud. Il a repris l'exploitation paternelle au début des années quatre-vingt. A l'époque on y produisait des fruits. On avait abattu les châtaigniers pour planter des cerisiers , des pêchers, des pommiers, considérés comme d'un bien meilleur rapport. Seuls, ceux qui se trouvaient sur les pentes les plus abruptes furent épargnés. Daniel Vernol se souvient.
- J'ai eu de la chance qu'une partie de l'exploitation soit située sur des terrains non mécanisables ce qui a empêché mon père d'arracher les châtaigniers qui s'y trouvaient.
Quand les cours des fruits ont commencé à chuter, peu à peu j'ai reconquis la châtaigneraie. Au début je n'avais que six hectares maintenant une quinzaine.

On sait que l'agriculture a toujours été une affaire de cycle, il suffit de choisir le bon. Et Daniel Vernol d'ajouter avec une note de fierté :

- Aujourd'hui je produis de la comballe, de la bouche-rouge, de la garinge.

Paul l'interrompt.

- Il faut dire qu'à l'époque, nous étions un peu les gardiens du Graal.

- Je dirais des aventuriers de la châtaigne.

- Mais au moins nos vaches qui les adorent ont gardé la tête sur les épaules...

Daniel Vernol achève la phrase à la place de Paul Leynaud.

- Elles, au moins ne sont pas devenues folles.

Il y a une fraternité de combattant chez ces deux-là. Aujourd'hui ils prennent leur revanche, la revanche de la tradition qu'incarne si savoureusement la châtaigne face aux excès du productivisme.

Il ne se passe guère de jours sans que surgissent de nouvelles crises, de nouveaux scandales, sans que s'éveillent de nouvelles inquiétudes qui sapent les fondements de notre société d'abondance. A vouloir produire trop et trop vite, c'est comme si la machine de la Terre s'était emballée. Mais s'il n'y a plus de saveurs sur les étals, la châtaigne a conservé la sienne.

- J'ai toujours refusé ce type d'agriculture car j'étais persuadé qu'on allait droit dans le mur, je ne voulais pas que les animaux deviennent du matériel génétique... De même j'ai toujours refusé de considérer comme inéluctable la dégradation du milieu naturel au nom du sacro-saint principe de rentabilité.... On s'est transformé en consommateur de notre milieu, je crie danger !

Ces convictions étaient iconoclastes chez quelqu'un dont la mission, avant son retour à Niegle, était de défendre les thèses de l'agriculture officielle, celle qui produit trop et de plus en plus mal.

Paul Leynaud réfuterait le terme de visionnaire. N'empêche qu'il a été parmi les premiers à défendre ces théories, bien avant que certains ne s'en emparent pour en faire un juteux fonds de commerce en battant toutes les estrades médiatiques.

Il a eu aussi l'intuition que la châtaigne pouvait représenter une alternative crédible pour une société rurale menacée et déboussolée.

N'offre t-elle pas un complément de ressources conséquent à des exploitations qui ont accepté de multiplier leurs activités et qui reviennent à des méthodes naturelles de culture.

Si on ajoute l'élevage de chèvres, de quelques volailles pour les oeufs, un peu de truites dans un étang, la production de légumes cuisinés sur place pour alimenter les tables d'hôtes, on s'aperçoit aujourd'hui que le bilan économique de ces exploitations muti-activités est bien meilleur que celui des exploitations vouées à l'agriculture et à l'élevage intensif. Avec la nudité des chiffres commencera peut-être la sagesse...

En Ardèche, la châtaigne représente déjà la moitié du revenu de l'exploitation pour plus de six cents producteurs sur un millier. A ce niveau on ne peut plus parler d'intuition mais de démonstration.

On s'est méfié de Paul Leynaud quand il est revenu à Niegle. Les vieux restés en sentinelle n'avaient pas compris son départ. Ils ne comprenaient pas plus son retour. Et beaucoup de ceux qui avaient connu le "petit Paul" à l'âge des premières cigarettes, quand il suffisait de croquer quelques châtaignes crues pour chasser l'odeur du tabac de l'haleine et détourner l'attention des parents, avaient disparu.

Quand on revient au pays quinze ans après, les repères ne sont plus les mêmes. Les hommes ne sont plus les mêmes.

Il y avait bien l'Augustou qui était resté.

Mais on disait dans le pays qu'il parlait à ses châtaigniers. Ce qu'il leur disait ? Il valait mieux ne pas l'entendre. D'ailleurs il leur parlait en cévenol... S'il les remerciait de l'avoir bien nourri et bien abrité, ce jour là, il était monté leur réclamer une dernière faveur. Pour la circonstance, il avait revêtu la tenue de son mariage, un costume de drap sombre, une chemise blanche empesée, une cravate de soie grège et un chapeau de feutre noir qu'il avait ôté machinalement en parvenant, essoufflé, sous le plus vieux de ses châtaigniers. Ils allaient se parler d'ancien à ancien en quelque sorte.

Ses chaussures vernies qui s'enfonçaient dans le tapis de feuilles mortes qui exhalaient une odeur mouillée d'humus avaient à la fois quelque chose de solennel et d'incongru.

- Cette fois je voudrais que tu me donnes trois de tes plus belles branches...

et après une hésitation et quelques mots incompréhensibles marmonnés dans une moustache jaunie par le tabac il dit :

- C'est pour « récater » ma vie.

Le châtaignier qui entendait la langue cévenole compris que c'était pour fabriquer son cercueil et il opina de la cime.

Le Père Fiol, Paul l'avait connu alors qu'il était encore adolescent, bien avant que l'Augustou ne se mette à déparler dans ses châtaigneraies. Il avait la châtaigne chevillée à l'âme car même aux pires moments de découragement, quand presque plus personne ne voulait y croire, il se fendait d'un sourire rusé et prenait un air entendu.

- Il faut tenir le coup. Tôt ou tard... la châtaigneraie repartira... La nature c'est comme ça, elle a ses bons et ses mauvais moments.

Pour tenir le coup, le père Fiol avait multiplié les astuces, fait du fromage, planté des framboisiers, récolté des myrtilles sauvages qu'il avait vendues à la conserverie Sabaton, un peu de braconnage aussi mais chut... il ne faut pas le dire.

Sans jamais pour autant renoncer à s'occuper de ses châtaigniers. Pour Fernand Fiol, la terre avait fait feu de tout bois... Il était resté un instant dubitatif quand Paul Leynaud lui avait fait une visite de courtoisie pour l'informer qu'il avait l'intention de reprendre racine ici.

Fernand Fiol s'était alors longuement massé un menton piqueté de touffes de poils grisonnants, signe chez lui de très grande perplexité. Il ne comprenait pas grand chose aux arguments économiques que lui développait Paul Leynaud. Il suivait d'un oeil interrogatif les courbes que ce dernier lui traçait sur du papier brouillon. Il finit tout de même par lâcher :
- Très bien... j'comprends rien à tout ton bataclan... j'vais quand même t'aider. Ensemble on ira greffer quelques uns de tes châtaigniers pour te montrer. Après tu te débrouilleras tout seul... Mais il faudra attendre avril et la montée de la sève... On greffera en flûte, c'est plus compliqué mais les greffons prennent mieux.
Paul Leynaud en aurait bondi de joie. Le père Fiol est alors descendu à la cave. Il en était remonté avec une bouteille couverte de poussière, le col cacheté de cire rouge qu'il avait fait voler en éclats d'un coup sec donné du dos du couteau.
Sur la bouteille, la couche de poussière dans laquelle s'était imprimée la forme des doigts était très épaisse. C'était bon signe.
Paul doit aussi reconnaissance à "Raymond le greffeur", un de ses plus proches voisins. Il n'avait pas son pareil pour tirer le chevreau ou tailler la vigne.
Lui, il était resté un homme de la terre bien que la pauvreté l'en ait chassé. Il avait donc fait sa vie à l'usine. L'âge de la retraite avait sonné comme une délivrance. Il était remonté près de Niegle. Il était le mieux placé pour comprendre le retour du Don Quichotte du possible dans le village.
A eux deux, ils en feraient rejaillir la vie !

Et ensemble ils ont bien dû greffer un millier de châtaigniers. Sans son aide, Paul Leynaud ne sait pas ce qu'ils seraient devenus, lui et Jacqueline.

- Ce fut un travail de titan, exténuant, qui nous prenait même la nuit. Je crois que parfois on a dû greffer à la lampe électrique.

Seulement une petite moitié des greffes a pris. Ce fut suffisant pour donner une récolte maigrelette la première année que Paul mettra tout de même sur le marché.

A présent, c'est presque sept tonnes que lui donne une châtaigneraie requinquée. Il suffit de le voir à l'automne arpenter sa châtaigneraie, dégager les feuilles qui recouvrent les bogues d'un coup de "gratte" et saisir d'un geste vif un fruit si luisant qu'il parait ciré, entre les pinces de la fourcole avant de le glisser dans la besace en toile de jute qu'il a nouée autour de sa ceinture pour comprendre qu'avec lui, le bonheur mange son pain blanc.

## La veuve courage

Avec Paul Leynaud les souvenirs remontent comme la sève dans les branches du châtaignier.

- Quand ils ont frappé à la porte, tout le monde s'est tu. L'oncle est resté pétrifié, le geste en suspens avec sa cuillère de soupe en l'air qu'il a fini, en désespoir de cause, par vider dans son assiette au lieu de la porter à la bouche.

Ce n'est pas qu'on avait l'habitude de parler à table chez la veuve Leynaud, car le moment du repas restait un cérémonial chez les pauvres. Mais une tablée de quinze, y compris sept enfants qu'elle avait le plus grand mal à empêcher de se dissiper, ça fait forcément du bruit.

Paul, lui, venait tout juste d'avoir dix ans.

En 1943 la guerre faisait rage. Trois gendarmes français, pas des allemands, venaient d'entrer dans la maison de Niegle avec un ordre de perquisition à la main pour vérifier qu'on n'avait caché ni farine, ni châtaignes.

Pendant la guerre on ne réquisitionnait pas seulement le blé ou la viande mais aussi les châtaignes, en particulier en Ardèche.

C'est dire le rôle stratégique qu'elles jouaient à l'époque dans l'alimentation des populations comme l'attestent les documents de la direction départementale du ravitaillement général :

"Conformément aux prescriptions de l'arrêté préfectoral en date du 29 août 1942, j'ai l'honneur de vous informer que votre commune est imposée pour livrer 1250 - chiffres manuscrits - quintaux de marrons ou de châtaignes fraîches..."

S'ensuivait l'énoncé des peines encourues en cas de défaillance, une habitude bien ancrée dans les moeurs de l'administration française...

Le moment de la récolte des châtaignes était si capital que les préfets n'hésitaient pas non plus à prendre des arrêtés autorisant les producteurs à réquisitionner les enfants pour participer au ramassage au lieu d'aller à l'école.

Deux cent cinquante quintaux, c'était beaucoup plus que les arbres pouvaient donner. Pour survivre il fallait bien en distraire un peu...

Enfin suffisamment.

Le sergent chef balbutia quelques mots que Paul ne comprit pas. Il représentait l'autorité et semblait pourtant déconcerté. C'était un homme gros. Il avait le cou épais qui débordait du col de sa vareuse d'uniforme. En dépit de sa voix rauque il semblait non dénué de bonté... C'est ce que se disait la Mère pour se rassurer.

Derrière l'officier il y avait un gendarme plus élancé qui s'impatientait. Il avait de petits yeux rapprochés, fureteurs qui lui donnaient l'air mauvais. Sous le bec du nez il avait une brève moustache blonde qui accentuait son air de sévérité.

Le petit Paul ne le quittait pas des yeux. Il le vit se pencher et parler à l'oreille de son supérieur.

Le troisième gendarme n'existait pas vraiment. Il était resté en retrait, autant dire dans l'ombre. Paul avait peur malgré l'apparente décontraction de la Mère qui achevait de s'essuyer les mains dans son tablier, car s'il n'y avait eu que les châtaignes... Autour de la table, il y avait bien sept enfants que la Mère avait élevés seule à la disparition du père. Il y avait aussi trois vieux, inoffensifs ceux-là, qui avaient leurs habitudes.

Un vieil oncle pour fuir une solitude qui lui pesait s'était invité à demeure à la table commune qu'il présidait.

Paul l'aimait, car avec lui et ses récits qui ressemblaient à des légendes, il entrait au coeur de l'histoire de la châtaigneraie.

Il l'initiait à ses secrets, lui enseignait tout ce qu'elle pouvait apporter aux hommes puisqu'il l'avait connue à son apogée.

La magie des mots peut marquer un enfant pour la vie. Ceux du vieil oncle se gravaient dans la mémoire de Paul pour, sans qu'il le sache encore, lui dessiner un destin.

A côté de l'oncle, un berger taciturne qui n'avait même pas levé le nez de son assiette, continuait de manger sa soupe comme si de rien n'était. Des gendarmes il en avait vu d'autres !

Mais à sa gauche il y en avait un qui ne faisait pas le fier. Il venait de s'évader.

La Mère l'avait accueilli de la même façon qu'elle avait accueilli quelques jours auparavant deux jeunes à peine sortis de l'adolescence qui fuyaient le STO. La Mère les avait acceptés tous les trois sans poser de questions et parce qu'il fallait bien que quelqu'un le fasse. Il fallait bien que quelqu'un leur offre un toit pour s'abriter et une table pour manger.

C'était tout naturel aux yeux de la Mère. Son rôle était de nourrir, alors elle nourrissait...

Mais quinze personnes autour d'une table cela faisait tout de même du monde, c'est pour cela qu'on l'appelait la veuve courage sans que personne osât le lui dire en face. Il aurait essuyé une rebuffade et un haussement d'épaules s'il avait parlé d'héroïsme.

Pourtant autour de la table il y avait trois lascars qui pouvaient l'expédier directement en prison.

Est-ce l'image de cette générosité toute simple qui a ému le sergent- chef ? Impossible de le savoir. Toujours est-il qu'il balaya la tablée du regard. Petit Paul crut déceler un maigre sourire dans le pli de ses lèvres épaisses et voir l'étincelle d'une larme au coin de son oeil.

Le gradé hocha deux ou trois fois la tête et fit un signe à ses hommes qui sortirent.

Ce jour-là personne n'avait rien vu. La Mère alla tout de même chercher la bouteille d'eau-de-vie et en servit une généreuse rasade à chacun des hommes et les enfants, eux, eurent droit à un "canard" trempé dans la goutte.

- A cette époque, produire des châtaignes vous attirait la considération de tous.

Un pays à châtaignes était un pays utile.

Malheureusement, aussitôt la guerre on délaissa les châtaigneraies parce que brusquement elles ne valaient plus rien puisqu'on était assez bête pour vouloir qu'elle ne valent plus rien.

Paul Leynaud sent remonter en lui la même colère sourde qu'il avait éprouvée à l'époque.

Paul "l'utopiste", Paul le "repris d'injustice" qui croyait aux sourires des hommes avait eu, à ce moment là, l'impression que le sol s'était dérobé sous ses pieds. Il avait vécu comme un véritable traumatisme cette brutale désaffection. Il est des indignations qui vous engagent pour la vie...

- Imaginez cela... un pays dont on s'était bien servi, un pays gratté jusqu'à la couenne... Au bal des humiliations, les filles vous repoussaient quand vous les invitiez à danser. Et quand on est méprisé, on arrive à se mépriser soi-même.

C'est à ce moment-là que j'ai décidé de partir, mais en me jurant de revenir un jour... Vous croyez tenir un pays, en réalité c'est lui qui vous tient...

Paul avait tout juste seize ans.

Il a été fidèle à son serment. Il est revenu et à pour l'heure des projets plein la tête pour développer la châtaigneraie... Il aimerait que la châtaigne d'Ardèche décroche son A.O.C. comme les marrons d'Evisa en Corse .

- C'est bon pour l'image.

Il aimerait aussi que la châtaigne devienne une production alternative grâce à des contrats territoriaux qui reconnaîtraient le travail du producteur de châtaignes dans l'entretien de l'espace rural. C'est sa grande idée : faire prendre en compte ce travail de gestion du milieu naturel et le faire rétribuer à sa juste valeur par la collectivité, ce qui permettrait de compenser la faiblesse des cours et d'assurer une vie décente aux producteurs. Il constate surtout avec un bonheur évident que la châtaigne redevient un fruit à la mode, un produit moderne. Grâce notamment à la farine qui permet de la conserver plus longtemps et multiplie à l'infini son utilisation en cuisine. Il est aussi très fier d'avoir des disciples car il en a.

## Dans la farine de père en fils

Pour en rencontrer il suffit de prendre une de ces routes en lacets qui ne s'épargne pas le coup de rein pour vous hisser au-dessus d'Antraigues. Comme après avoir passé une frontière, vous arrivez sur le territoire de Genestelle.

A dire vrai, rien ne le signale.

Néanmoins, vous ne pouvez manquer la ferme des Duplan, au hameau de Bise.

Enfin, ce n'est pas tout à fait une ferme, c'est plutôt un bout du monde borné par une solide bâtisse de pierres avec son escalier extérieur qui monte à l'étage.

Elle domine un vallon qui descend en terrasse. L'à pic est si raide, que les branches d'un pommier à demi sauvage planté en contrebas affleurent à même le chemin qui borde la maison et sur lequel jouent les enfants.

Car ici il y a des enfants, ce qui veut dire que la vie est chez elle.

Elle a trouvé du sang neuf, elle s'est sans doute réinstallée pour longtemps.Justement la petite Audrey surveille d'un oeil autoritaire son petit frère qui livre sa "récolte" de châtaignes au moulin de son père dans son camion en bois.

Quand le camion qui a pris de la vitesse verse sur une pierre, Audrey qui se sent investie d'une lourde responsabilité crie :

- Idiot!

Son cri qui perce les tympans ne parvient même pas à effleurer le toit de la clède que son père a reconstruit à l'ancienne au creux du vallon.

De la maison on l'aperçoit à peine.

Plus tard, Patrice Duplan y fera sécher sa récolte et celle de ses voisins qu'il transformera en farine.

Sept tonnes de châtaignes transformées à chaque saison pour faire deux tonnes et demi de farine.

A cette échelle l'activité est devenue une industrie à part entière.

Elle le fait vivre lui et sa famille.

Patrice Duplan n'est pas peu fier de sa clède. Sa fierté est légitime puisqu'elle est la plus belle de la région. Il a fait tailler la charpente dans ses propres châtaigniers avant de l'assembler en ferme dans la plus pure tradition cévenole.

Vingt bons mètres cubes de bois, il lui a fallu, avant qu'il puisse la recouvrir de tuiles en terre cuite. Mais le résultat est là. Il est à couper le souffle.
Patrice et Sylvie Duplan n'ont fait que suivre un fil d'Ariane qui a parfois la malice de vous ramener à votre point de départ.
Leur châtaigneraie avait autrefois appartenu au grand-père de Patrice. Il y a plus de soixante ans, il plantait les châtaigniers qui produisent aujourd'hui leurs premières récoltes. Mais succession après succession la propriété avait été dépeçée. Patrice Duplan avait dû la racheter à des étrangers pour renouer le fil interrompu de ses propres racines.
La passion du châtaignier lui avait été transmise par son propre père qui lui avait inculqué l'art de la greffe.
- J'avais quatorze ans. Souvent je parcourais sa châtaigneraie avec lui à mes côtés. Il m'avait désigné un certain nombre d'arbres dont je devais m'occuper. Je le faisais avec fierté et pas du tout comme un travail... C'étaient mes châtaigniers à moi.
Un jour de printemps, le jaune éclatant des genêts formait comme une couronne d'or posée sur la cime des châtaigniers. Patrice était occupé à préparer un greffon quand surgit de nulle part, un poète écrivain. Il fixa longuement l'adolescent avant de donner des petites tapes sur le tronc d'un énorme châtaignier comme un geste amical sur l'épaule d'un ami.
- Tu vois celui-là, si tu l'aimes, il te le rendra au centuple.
Il y a des mots qui forgent des vocations, cette phrase, Patrice Duplan ne l'a jamais oubliée. En un éclair elle lui a permis d'entrevoir les couleurs de son avenir avec ses yeux d'enfant.
A l'instant il vient de mettre en route le moteur électrique de son moulin qui s'est mit à ronronner comme un chat sous la caresse.
Son moulin ?
C'est beaucoup dire, puisqu'il l'a logé dans un appentis sous une pièce de la maison. La meule taillée dans du beau granit de Castres s'est mise à tourner avec une feinte indolence car elle écrase, broie, pulvérise les châtaignes séchées. Elle les tranforme en une poudre aussi fine qu'un fard de beauté.

Patrice Duplan sait que de cette sorte de mouvement perpétuel de la meule est en train de naître de la richesse.

Alors il se souvient à nouveau de la phrase magique :

- Si tu l'aimes, il te le rendra.

L'émotion lui serre la gorge.

Quand Paul Leynaud affirme que la châtaigne a retrouvé un avenir, c'est aussi à Patrice et à Sylvie Duplan qu'il songe. Il sait qu'ils ont pris le relais. C'est bien comme ça.

Il songe aussi à ceux qu'il appelle les "soixante huitards repentis" et qui ont tenu le coup, qui sont restés malgré les difficultés, malgré l'hostilité sourde des paysans qui ne les ont jamais acceptés. Il rend un vibrant hommage à ces princes ombrageux, héritiers de la génération du "pouvoir des fleurs" qui ont su composer avec leur idéal pour s'accrocher à la terre. Ils avaient rêvé de vivre des secondes magnifiques mais n'ont jamais trouvé le chronomètre capable de les égrener.

- C'était de sacrés bonhommes... Ils venaient des villes, autant dire de nulle part. C'est eux qui tiennent l'avenir du pays entre leurs mains car ils y ont ramené la fête, le plaisir et la musique. Ils ont empêché que cette terre ne meure.

A écouter Paul Leynaud on se rend compte qu'il n'y a pas que Virgile qui sait parler de la châtaigne. Alors le barde peut reprendre sa lyre et entonner un ultime refrain, en cévenol mais traduit pour la clarté du propos :

"L'an qui vient est semblable à la châtaigne
Une bogue piquante et un fruit au coeur
Qui peut nous apporter réussite et bonheur."

## Le Petit Prince de Glace

Ce sont les abeilles qui ont commencé.
"Les temps modernes" de Chaplin, ne sont après tout, que la réplique cinématographique de l'activité bourdonnante et vibrionnante de la ruche.
Une chose est certaine, elles ont ouvert la voie à l'industrialisation de la châtaigne, plus exactement à celle des fleurs de châtaigniers dont elles s'enivrent à chaque nouvel été.
Elles en profitent pour les féconder car sans les abeilles qui passent d'un arbre à l'autre et leur obstination laborieuse, il n'y aurait pas de fruits.
Et c'est toute heureuse du devoir accompli qu'elles repartent les pattes lourdes de pollen vers une de ces ruches cévenoles taillées dans un tronc de vieux châtaignier évidé, posé à même le sol et recouvert d'une lauze de schiste.
A l'intérieur c'est la répartition des tâches. Il y a celles qui ont tiré le gros lot à la loterie génétique et dont la seule mission est de danser pour indiquer aux autres abeilles le chemin de la châtaigneraie, tandis qu'à l'intérieur l'usine tourne à plein régime.

Des milliers d'ouvrières s'usent à la tâche pour fabriquer ce miel aux arômes puissants comme si le soleil en exaltait la sève. Il est d'un brun profond, d'une mystérieuse couleur de résine avec des reflets ambrés. Goûter au miel de châtaigne, c'est comme si tous les parfums de la forêt se libéraient en bouche. Qui n'a pas goûté à ce miel là, ne sait rien du miel...

Au sommet de la pyramide sociale de la ruche, il y a la reine qui se contente de compter ses sous..., pardon... ses oeufs. J'en connais qui iraient vendre "l'Humanité" pour moins que ça.

Heureusement, à l'intérieur de la ruche Sabaton, un comité d'entreprise veille à pacifier les esprits. Car en pleine saison du marron glacé la nouvelle usine Sabaton ressemble bien à une ruche comme deux gouttes de miel.

Le ballet des camions commence fin octobre. Comme à des ventouses ils se collent aux sas de livraison. Des chauffeurs ont baissé leur vitre pour manoeuvrer. Ils plaisantent entre eux. Leurs bouches font de la buée dans l'air qui s'est rafraîchi. Dans les cabines, il y a des photos de filles un peu vulgaires qui exhibent leur poitrine siliconée et des radios qui suivent à la trace les convulsions du monde. Parfois, derrière un pare-brise, un Saint-Christophe danse.

Les camions chargés de sacs de châtaignes, viennent des coopératives ou des producteurs locaux qui travaillent avec la maison Sabaton. On dit maison pour bien montrer qu'elle reste ouverte à tous, qu'il y a une permanence du travail bien fait et de la confiance qui s'est installée génération après génération. Quand on entre dans une maison, c'est un peu comme si on entrait en religion. On partage toutes ses valeurs...

Les sacs sont déchargés des camions sur une balance automatique pour la pesée. De cette manière chaque producteur recevra son dû au centime près. Les sacs sont ensuite vidés sur des tapis roulants qui vont déverser les châtaignes dans des bacs remplis d'eau pour le tri. C'est une opération cruciale car la châtaigne trompe son monde. On la croit résistante dans l'épanouissement de ses formes callipyges, indestructible, toute protégée qu'elle paraît être par l'armure de son écorce. En réalité, la châtaigne est un fruit comme les autres, fragile, sensible aux attaques pernicieuses des parasites. Et comme on ne la traite pas, étant donné que c'est un fruit entièrement naturel, disons biologique pour sacrifier à l'air du temps, il faut bien séparer les bonnes des mauvaises. Les fruits abîmés remontent à la surface de l'eau. En saison, deux équipes de quatre personnes se relaient inlassablement autour des lignes de tri. Une fois séchées, les châtaignes passeront à la décortiqueuse automatique.

Une belle machine que celle-là, précise, qui vous grignote l'écorce sans abîmer le fruit et sans coup férir. Elle vient d'Italie. Elle est couverte de diodes et son armoire de commandes bourrée d'intelligence artificielle, comme quoi la transformation de la châtaigne peut requérir le soutien des industries de pointe.

Dans l'usine ultramoderne d'Aubenas construite par Christophe Sabaton et qui ressemble de l'extérieur à une clinique, on s'agite de partout.
Des hommes en blouse blanche, la tête recouverte de calots en tissu qui les font ressembler à des chirurgiens, remplissent de lourds paniers d'acier de châtaignes épluchées qu'ils chargent ensuite sur des chariots métalliques. On se parle. On se croise. Un contremaître donne des ordres à de vagues silhouettes blanches fantomatiques qui se liquéfient dans la vapeur ambiante.
On perçoit parfois le chuintement des bottes en caoutchouc sur le sol humide. Ici tout est propre, aseptisé. Les lourdes portes des chambres froides glissent sur leurs rails dans un feulement d'acier. On pousse les chariots à l'intérieur pour surgeler les châtaignes. Cela permettra de les conserver pendant plusieurs mois et de faire tourner l'usine toute l'année. A l'échelle industrielle, la transformation de la châtaigne est une activité complexe. D'autres fruits remontent immédiatement de la décortiqueuse pour être dirigés vers d'immenses cuves en inox pour la cuisson.
Les mêmes silhouettes conduisent les opérations. Soit les châtaignes sont conservées entières et conditionnées en bocaux à destination de la cuisine, soit elles sont transformées en crème.
Le sirop de sucre s'offre alors un long périple aérien à l'intérieur d'une volée de tubes en inox avant d'être dosé avec précision pour être mélangé aux châtaignes qui sont broyées, malaxées, écrasées, jusqu'à obtention d'une pâte vanillée à l'onctuosité parfaite.
Toutes ces opérations sont automatisées pour permettre à l'entreprise d'être compétitive au niveau mondial, ce qui n'empêche pas la crème de

marrons Sabaton d'avoir la réputation qui n'est pas usurpée d'être aussi bonne, sinon meilleure, que beaucoup de fabrications artisanales.

Et ce n'est pas le moindre mérite de la maison Sabaton d'avoir réussi l'industrialisation de la châtaigne tout en préservant ses qualités, si bien que ses productions s'offrent le luxe des épiceries fines, d'être la coqueluche des pâtissiers professionnels, d'être exportées dans le monde entier, en particulier au Japon.

Sur les dix mille tonnes de châtaignes et de marrons transformées chaque année en France par l'industrie, plus de sept mille le sont en Ardèche. A lui seul, ce département concentre l'essentiel des industriels de la châtaigne.

Il y a des lustres que des entrepreneurs ardéchois dont les établissements Sabaton sont l'archétype ont assuré à une activité traditionnelle cette dimension industrielle.

Elle explique qu'en dépit des différentes crises traversées par la châtaigne, le département de l'Ardèche soit resté le premier producteur français, la demande de l'industrie stimulant la récolte. A eux seuls, les établissements Sabaton transforment chaque année deux mille tonnes de châtaignes soit en valeur absolue le tiers de la production ardéchoise.

En valeur absolue seulement puisqu'une quantité non négligeable est importée de l'étranger, en particulier d'Italie pour la fabrication des marrons glacés.

- Mais nous avons toujours privilégié l'approvisionnement local qui a forgé l'identité de l'entreprise explique avec un sourire timide Christophe Sabaton.

- C'est pour cette raison également que nous avons établi un cahier des charges très strict avec les producteurs ardéchois pour qu'ils améliorent la qualité de leurs productions. D'ailleurs un système de primes qui peut représenter le quart du prix les y encourage... Christophe Sabaton n'est jamais volubile, mais il parle volontiers de cette nouvelle usine qui consacre une réussite exceptionnelle, mais comme on les aime en Ardèche, c'est-à-dire discrète.

Pas tapageuse du tout, bâtie sur du solide. On sent poindre de la fierté derrière l'intensité d'un regard qui vous scrute, qui vous jauge, vous soupèse mais qui assez curieusement s'absente par instant comme s'il s'évadait vers des mélancolies secrètes qui se nourrissent parfois du souvenir d'un être cher qui s'est enfui de la vie.

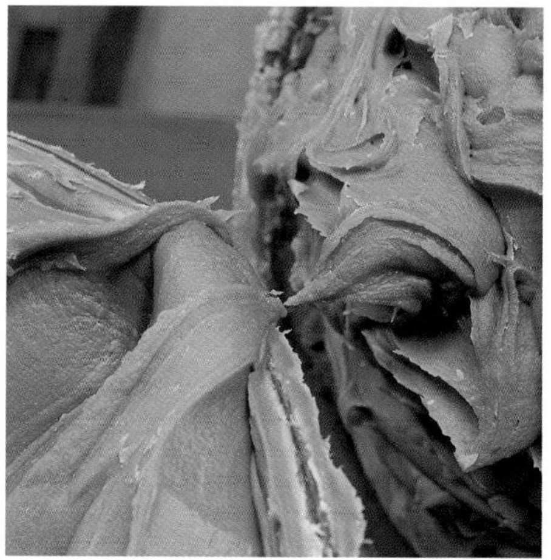

Christophe Sabaton sait être courtois en restant sur ses gardes. Quand une question s'approche trop de lui-même, il l'esquive avec toujours ce même pâle sourire qui fait masque. Timide ? Réservé ?

Christophe Sabaton l'est sans doute dans ses gestes mesurés, dans une économie de paroles qui représente l'antithèse parfaite du romantisme flamboyant d'un Paul Leynaud, comme quoi les "hommes de châtaigne" peuvent être à l'opposé l'un de l'autre et entretenir la même passion. Mais derrière cette pudeur, derrière ce front tôt dégarni qui surplombe un visage lisse mais beau, séduisant diront les femmes, sans qu'on puisse en déduire si ce "petit prince de glace" aime à jouer de son pouvoir de séduction, on pressent surtout l'inflexible énergie.

En affaires, le "petit prince de glace" doit se transformer en redoutable bretteur. Il a aussi conservé d'études en électronique, incongrues pour un avenir tout tracé qui le prédestinait à prendre un jour la direction de l'entreprise familiale, le sens de la précision et la capacité d'analyse.

Il mûrit sans doute longuement chaque décision mais s'y tient quand il l'a prise.Le développement de l'entreprise prouve au moins que ce sont souvent les bonnes. Il a réussi à faire des établissements Sabaton qu'il dirige depuis 1996 et dans lesquels il est entré dès 1987, un petit bijou de rentabilité pour parler comme les économistes. Il les dirige d'une poigne sûre avec l'ambition discrète de les emmener beaucoup plus loin encore.

Christophe Sabaton est le représentant de la troisième génération à diriger cette entreprise familiale qui comme toute entreprise familiale a une histoire.

Elle se confond avec celle de Paul-Roch Sabaton.

## La belle aventure de Paul-Roch

Ce jour là, Nice étouffe sous une chaleur humide comme si le vent du large avait baissé les bras et renoncé à rafraîchir l'air.

Régnait dans les cuisines du "Palais de la Jetée" une chaleur féroce. La sueur coulait à grosses gouttes du front des cuisiniers et de leurs aides qui s'escrimaient à manipuler de lourdes casseroles en cuivre bien que le service tirât à sa fin. On approchait du milieu de l'après-midi.

Paul-Roch Sabaton éprouvait les pires difficultés à tourner sa crème anglaise. Il s'épongeait le front de brefs coups de torchon.

A cette époque qui se croyait Belle pour l'éternité et qui allait tirer sa révérence dans un effroyable bain de sang une décennie plus tard, on mettait l'anglais à toutes les sauces puisqu'il venait répandre la prospérité sur une région encore pauvre qu'il allait se transformer en Côte d'Azur. De temps en temps une goutte de sueur échappait au torchon de Paul-Roch Sabaton pour s'écraser sur la plaque brûlante du fourneau dans un grésillement de vapeur. A l'extérieur les convives qui déjeunaient chaque jour sur l'immense terrasse qui ceinturait le "Palais de la Jetée" devenaient plus rares. Beaucoup d'entre eux avaient déjà quitté l'ombre violette des parasols pour gagner la salle du casino où ils s'étaient arrimés aux tables de jeu, au-dessus desquelles on avait allumé plusieurs rangées de lustres en cristal malgré la lumière laiteuse qui tombait des verrières de couleur et qui annonçait l'orage du soir. La roulette avait fait le plein de lords anglais venus avec des épouses acidulées couvertes de bijoux qu'elles faisaient teinter avec ostentation quand elles glissaient leurs jetons sur un numéro du tapis vert.

Il y avait aussi quelques aristocrates russes qui s'enfiévraient à montrer leur fortune pour éprouver le plaisir de la perdre et qui avaient l'air d'avoir toujours un suicide d'avance.

La Riviera était cosmopolite et richissime.
Cela faisait déjà presque deux années pleines que Paul-Roch Sabaton avait quitté son Ardèche natale pour parfaire son apprentissage. Après un séjour de quelques mois dans les cuisines de l'Hôtel de Russie à Lyon, il était arrivé sur la Côte d'Azur où le spectacle de cette richesse lui avait brûlé les yeux.
Il l'avait renforcé dans sa détermination à s'ouvrir les portes d'un monde qui, s'il savait déjà qu'il ne serait jamais tout à fait le sien, devrait au moins reconnaître sa valeur. Il voulait devenir riche comme on croit à une vocation. Il avait dix-sept ans. C'était l'été 1904.
Le casino de la jetée était posé sur la mer comme l'ultime avatar d'un rêve fastueux qui aurait voulu défier le temps de son luxe inouï, de ses colonnades de marbre de Corinthe, de son dôme orgueilleux soutenu par des arcades de fonte festonnée, lui-même surmonté d'une victoire qui ne pouvait être que de Samothrace tendant une main vengeresse vers l'azur infini du ciel. Le "Palais de la Jetée" avait été édifié quelques années auparavant juste en face de la Promenade des Anglais, sur plusieurs centaines de pilotis en bois enfoncés dans la mer, de la même façon qu'on a bâti Venise.
Les architectes imposaient un art que l'on disait nouveau. Ils n'avaient reculé devant aucun luxe pour séduire l'oeil et retenir les riches étrangers. Ils avaient osé d'audacieux mélanges de styles comme ces tours octogonales qu'ils avaient construites à chacun des angles du "Palais de la Jetée" et qui étaient coiffées de surprenants clochers à bulbe directement inspirés des églises orthodoxes russes.
D'habitude c'était interdit, mais il faisait tellement chaud ce jour-là, que Paul-Roch Sabaton s'était éclipsé de l'enfer des cuisines pour sortir sur les terrasses qui surplombaient la mer afin de profiter du maigre souffle d'air qui venait du large pour se rafraîchir.Quelques tables étaient encore occupées par des couples qui prolongeaient le plaisir du dessert dans la moiteur de l'après-midi.
Cela avait le don d'agacer les garçons qui auraient bien voulu quitter leur service.

Un prince au nom imprononçable, à coup sûr un Polonais puisqu'en Pologne tout le monde était prince, en habit malgré la chaleur suffocante alluma un cigare imposant avant de rejeter en arrière un visage mafflu orné de favoris blonds pour contempler les volutes de fumée bleutée qu'il soufflait de ses lèvres arrondies.

L'apprenti cuisinier appuyé contre une balustrade sentit le regard d'une femme se poser sur lui. Il n'y prêta guère attention.

Il savait que sa silhouette élancée, l'élégance un peu hautaine de son port de tête et un visage aux traits fins attiraient les regards, des femmes en particulier. Quelquefois il rougissait. Plus souvent, il éprouvait le picotement délicieux d'un plaisir qui l'aurait fait facilement glisser vers la fatuité s'il n'y avait pris garde. Il regardait sans les voir réellement des lavandières qui étendaient leur linge sur les galets d'une plage qui lui semblait lointaine, quand il la vit, elle.

Elle s'appelait Jenny. Elle était Anglaise. Elle paraissait mélancolique entre ses parents qui picoraient leur thé. Elle avait un petit nez retroussé et portait un chapeau de paille ajourée, orné de rubans mauves qu'elle suçait en le regardant. Il l'avait remarquée à plusieurs reprises sans jamais lever les yeux sur elle, à plus forte raison sans imaginer un instant pouvoir lui adresser la parole.

Quand, à nouveau leurs regards se croisèrent, l'invraisemblable se produisit, elle lui sourit. Son coeur se mit à battre comme jamais il n'avait encore battu. Il était tétanisé. L'impression d'un bonheur total le submergeait. Il fallut que le chef de rang prononçât plusieurs fois son nom, et de plus en plus fort, pour qu'il reprenne ses esprits.

C'est alors seulement qu'il se rendit compte qu'il lui faisait signe de s'approcher. A contrecoeur il tourna le dos à la petite Jenny. Il ne savait pas que c'était pour toujours.

Le chef de rang lui mit la main sur l'épaule en un geste dont la gravité le déconcerta avant de murmurer quelques mots que Paul-Roch Sabaton refusa d'abord d'entendre.

Son père était mort.

En une seconde il venait de connaître le bonheur le plus fou et le malheur le plus absolu. Derrière lui Jenny mangeait ses fraises des bois avec gourmandise. Il mit plus d'une journée pour regagner l'Ardèche après avoir emprunté jusqu'à Marseille le train de la société des chemins de fer du sud et, à partir de Marseille, le PLM qui se pavanait déjà dans la vallée du Rhône.

En arrivant à La Bégude, en retrouvant l'hôtel familial, Paul Roch Sabaton ne se souvint pas s'il avait pleuré pendant tout le temps que dura le voyage. Il savait seulement qu'il allait devoir avec son frère se mettre tout de suite à l'ouvrage pour faire vivre sa mère et ses soeurs. Les fourneaux de l'hôtel-restaurant de la gare étaient loin d'être aussi somptueux que ceux du "Palais de la Jetée" à Nice, mais cela lui importait peu. Il ne savait que faire la cuisine, alors va pour la cuisine, mais il la ferait différemment des autres.

A dix-sept ans il avait déjà le goût d'entreprendre. Il se lance alors dans la conception et la fabrication de plats cuisinés, une sacrée innovation pour l'époque. Ils rencontrent très vite le succès si bien qu'il faut construire un atelier de fabrication pour augmenter la production et faire face à la demande.

Paul-Roch Sabaton industrialise ses rêves...

Il porte désormais une élégante moustache en accent circonflexe qui ajoute à son charme. Il approche des vingt ans et durcit son caractère.

A moins que ce ne soit son ambition qui l'ait endurci, lui. Mais s'il est dur avec les autres il l'est aussi avec lui-même. Toujours le premier levé et le dernier couché, l'oeil impitoyable pour détecter le détail qui boite et toujours prêt à donner de la voix. Il faut l'entendre hurler dans l'atelier :

- Où est passé l'écumoire ? Mais qui m'a fichu des abrutis pareils ?

A un marmiton mal réveillé qui vient de renverser un panier de cèpes cueillis la veille dans une châtaigneraie proche pour agrémenter une daube de sanglier qu'il a faite mariner toute la nuit dans du Gigondas, il prédit un avenir des plus sombres.

- Tu ne feras jamais rien dans la vie, petit imbécile.

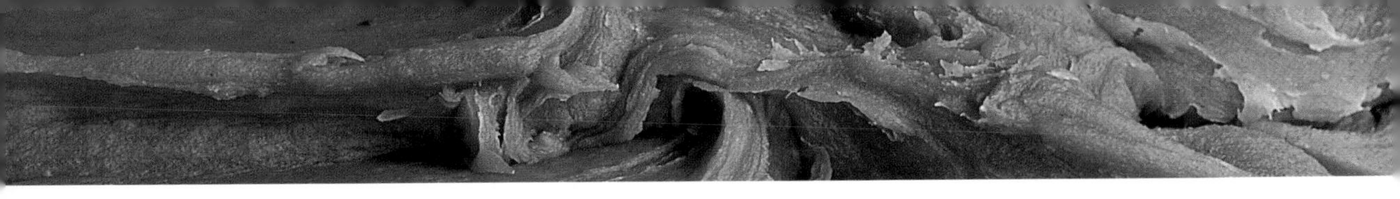

Cette phrase il la répétera à l'envie à tous ses employés. Plus tard à ses enfants quand il aura définitivement oublié Jenny et épousé une Ardéchoise pure souche aussi blonde qu'il était brun.

Peut-être est-ce le brouhaha et les odeurs du port de Nice qu'il ne parvenait pas à oublier, ses odeurs d'épices, de goudron, et d'huile d'olive quand les tartanes venaient charger des jarres pleines à ras bords, que les muletiers avaient descendues des moulins pendant la nuit, qui l'inspirèrent. Il sut qu'il fallait voir les choses en grand et qu'il n'y avait pas de réussite digne de ce nom, sans commerce. Alors il se lança dans le transport du café pour approvisionner les épiciers de l'Ardèche. Pour rentabiliser les carrioles et les chevaux, il créa aussi un commerce de matériaux de construction. Pourtant, la conduite de l'atelier, l'organisation des livraisons des plats cuisinés lui dévoraient tout son temps. Surtout que maintenant les orages étaient plus fréquents que le beau fixe entre son frère et lui. Pour faire face il se leva simplement, plus près de l'aurore.

Paul-Roch Sabaton fait richesse de tout bois. Il vend. Il transporte. Il transforme. Serait-il né avec une cuillère d'argent dans la bouche ? En tous les cas, l'argent rentre. Ce jour d'octobre il doit se lever encore plus tôt que d'habitude parce qu'un commis lui a faussé compagnie et qu'il doit absolument livrer un chargement de café au-delà du col de l'Escrinet. Pour lui, la parole est sacrée et il avait donné sa parole.

Le col de l'Escrinet, ce n'est pas la porte à côté et la pente est particulièrement rude. Il a attelé la carriole chargée de la veille alors qu'il faisait encore nuit.

Il place le gris pommelé à la droite du timon parce qu'il sait qu'il a tendance à broncher. L'attelage s'ébranle dans la nuit.

De temps à autre les sabots des chevaux arrachent des étincelles aux silex du chemin.

Paul- Roch Sabaton se laisserait bien gagner par une douce somnolence puisque les chevaux connaissent la route. Il est tellement furieux contre son commis que sa colère le tient éveillé.

- Un bon à rien qui ne fera jamais rien dans la vie...

Dans le jour naissant il croit d'abord à une apparition quand il l'aperçoit dans la transparence de l'aube, puis il la reconnaît.

C'est la "taiseuse". On l'a baptisée ainsi depuis qu'elle ne parle plus à personne pour enfermer dans le silence un chagrin mystérieux.

Elle porte au-dessus de sa jupe de paysanne, taillée dans un drap épais et sombre une sorte de camisole qui curieusement bouffe aux manches. Sur sa tête, un fichu noir également fait ressortir ses joues creusées et les rides de son front. Il n'y a de clair en elle que ses yeux.

Debout dans la brume qui se lève du chemin, elle lui fait un petit signe de la main. Les chevaux ont compris. Ils s'arrêtent. Pau-Roch Sabaton qui en effraie plus d'un avec son caractère de chien se sent bizarrement comme pris en faute devant la "taiseuse". Il lui sourit et descend même de la carriole pour lui faire une place à l'arrière avant de l'aider à s'installer. Dans son atelier on ne le reconnaîtrait pas... Une fois assise, les jambes pendantes dans le vide, la "taiseuse" pose au creux de sa jupe comme elle le ferait d'un trésor, un panier rempli de châtaignes fraîches.

Tout à l'heure avant de le quitter, elle le donnera à Paul-Roch Sabaton pour le remercier comme on fait une offrande. Il se murmure dans le pays d'Ardèche qu'en lui faisant présent des châtaignes fraîches elle lui révéla aussi les secrets pour fabriquer une crème de marrons de légende.

C'est cette recette qui se serait transmise de génération en génération, qui serait toujours en usage dans l'usine aujourd'hui. Mais s'il fallait croire tous les bruits qui courent... En tous les cas, c'est à partir de ce jour-là que Paul-Roch Sabaton ajouta les fabrications à base de marrons à une gamme de plats en conserve déjà bien étoffée, comme l'atteste l'inventaire manuscrit des stocks dressé en juin 1911 quand les deux frères finirent par se séparer.

C'est à Pau-Roch Sabaton que revinrent des piles et des piles de boîtes de marrons. La prospérité aurait pu continuer à sourire à l'entreprise sans une guerre à laquelle personne ne voulait croire et qu'on se déclarât cependant à cause d'un archiduc d'Autriche qui eut l'idée saugrenue d'aller se faire assassiner à Sarajevo alors que Paul Roch Sabaton projetait d'acheter son premier camion à moteur à explosion, un Berliet.

L'apocalypse qui transperce les tympans et qui déchire l'âme le retiendra quatre années entières dans ses rêts. Elle épargnera le soldat mais manquera d'avoir la peau de l'industriel.

Dans un atelier laissé à l'abandon pendant cinq ans, les araignées ont tissé leur toile et les affaires périclitent. Mais ce n'est pas un hasard si son double prénom contient en phonétique le mot roc.

Les difficultés ont toujours stimulé Paul-Roch Sabaton. Il y puise une énergie nouvelle et de nouvelles raisons de vivre. Il se découvre un associé pourvu d'espèces sonnantes et trébuchantes et l'entreprise Sabaton repart de plus belle. La production est toujours organisée autour de deux pôles : une saison d'été, une saison d'hiver. En été les conserves de fruits frais de myrtilles en particulier, en hiver la transformation des marrons.

Quand surviennent les années trente, les établissements Sabaton ont repris des couleurs et si Paul-Roch pique toujours des colères d'anthologie, il peut se permettre de jouer les grands bourgeois avec chaîne et montre en argent glissées dans le gousset du gilet.

Peut-être l'unique sourire de Jenny lui porte-t-il encore chance ? C'est par trains entiers que les conserves de myrtilles fabriquées à La Bégude partent pour le nord de la France avant de gagner l'Angleterre par bateau. La myrtille est très riche en vitamine E qui aiguise la vue dans l'obscurité. Ses propriétés n'ont pas échappé aux dirigeants des houillères anglaises et galloises qui ne sont pas aveugles, à telle enseigne qu'ils en font prendre en abondance aux mineurs avant qu'ils ne s'enfoncent dans les entrailles de la terre.

Dans la nuit profonde de la mine, ils seront beaucoup plus efficaces.

Les marrons au sirop, eux, gagnent par les ports de la Méditerranée les palais égyptiens où parait-il les hommes et surtout les femmes, odalisques lascives et gourmandes, en raffolent avant la cérémonie du thé à la menthe.

La guerre, la seconde cette fois, manquera d'être fatale aux marrons glacés qui ont établi la renommée internationale des établissements Sabaton. Alors que, depuis que le marron glacé avait fait son apparition à la cour de Louis XIV pour le plaisir raffiné des courtisans et des courtisanes qui s'en délectaient entre deux complots ou deux intrigues amoureuses, il avait su résister aux convulsions de deux révolutions, à la fin de deux empires et à plusieurs changements de régime, le régime de Vichy osa en interdire la fabrication.

Mais s'il n'avait osé que cela...

Sous Vichy, le sucre était devenu une denrée stratégique et à ce titre son utilisation sévèrement réglementée, ce qui, au demeurant, favorisa son entrée sur la liste des produits qui firent l'objet d'un marché parfois très noir. La production de marrons glacés reprendra cahin-caha à l'usine de La Bégude sitôt la guerre terminée en se pliant à l'humeur fantasque d'une politique de rationnement qui n'en avait pas fini de faire peser sur les populations le poids de ses carences. Elle s'adoucit peu à peu grâce à l'entregent de Paul- Roch Sabaton, rejoint par son fils Paul-Louis dans un établissement qui reprend très vite ses exportations vers l'Angleterre, ce qui a le plus grand mérite pour les caisses d'un État exsangue, de faire rentrer des devises.

Alors, les représentants de l'administration ne chipotent pas trop sur le décompte des sacs de sucre...
En 1953, Paul-Roch Sabaton rejoint pour l'éternité le doux sourire de la petite Jenny. En 1957, la société Sabaton revient entièrement dans le giron de la famille, l'associé préférant se retirer et Paul-Louis en devient Président. L'activité a repris un rythme de croisière. On modernise à tour de bras...
Christophe Sabaton s'en souvient, tout en surveillant du coin de l'oeil le déchargement des caisses de Monte Marrone qui arrivent tout droit d'Italie épluchés et surgelés.
A chaque saison, la nouvelle usine Sabaton travaille plus de cent tonnes de cette variété de marrons qu'on retrouvera, lorsqu'ils seront glacés au moment des fêtes de fin d'année, sur les tables américaines, japonaises ou taiwanaises. Au Japon, on assimile le marron glacé aux subtilités de la gastronomie française et pas un Japonais ne voudrait s'en priver au changement d'année. Cent tonnes de marrons glacés représentent un chiffre d'affaires équivalent à la transformation de huit cents tonnes de châtaignes en conserve pour la cuisine ou en crème.
Le glaçage est une opération des plus délicates. Pour l'heure, deux équipes d'une trentaine de personnes chacunes se relaient autour des plans de travail en un alignement impeccable- blouses blanches obligatoires et pas une mèche ne dépasse du calot - pour, à la main, enfermer deux par deux les marrons blanchis dans un petit carré de tulle. Le tulle leur permettra de subir l'épreuve du glaçage en restant entiers.
Ils seront ensuite alignés, toujours à la main, dans des paniers en inox de forme demi-lune qu'on empilera dans d'énormes autoclaves où pendant deux jours au moins, ils vont s'imprégner lentement de sucre liquide, répandant dans l'air une odeur vanillée et une atmosphère joyeuse comme si chaque ouvrière était dépositaire d'une étincelle de la fête qu'ils incarnent si bien.
C'est de l'ancienne usine de La Bégude dont se souvient Christophe Sabaton :
- On vivait au rythme de l'entreprise...

Une simple montée d'escalier séparait l'appartement du premier étage des ateliers situés au rez-de-chaussée. Toute la vie de la famille était conditionnée par celle de l'entreprise...

Plus d'une fois, le petit Christophe devra replier à la hâte ses cahiers pour faire de la place à un client de passage venu confirmer une commande importante.

Par la porte du vestibule restée entrouverte, il surprendra fréquemment des conversations animées où il est question de prix et de rabais entre son père et des fournisseurs puisque le téléphone de bakélite noire qu'on avait installé sous un portrait sévère de l'aïeul, était commun à l'usine et à la famille. Il est de pires écoles pour s'initier aux secrets des affaires...

D'ailleurs, cette promiscuité avec la vie de l'entreprise ne présentait pas que des inconvénients. Elle permettait aussi de s'empiffrer de marrons glacés pour des goûters de prince, parfois de les échanger contre des agates de verre dont les couleurs irisées faisaient chanter l'imagination de l'enfant.

Souvent elle l'emportait au bord de la mer...

# Le dessert de Stéphanie

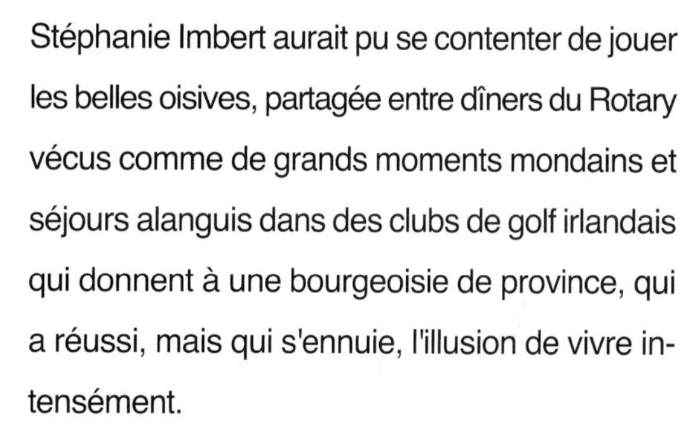

Stéphanie Imbert aurait pu se contenter de jouer les belles oisives, partagée entre dîners du Rotary vécus comme de grands moments mondains et séjours alanguis dans des clubs de golf irlandais qui donnent à une bourgeoisie de province, qui a réussi, mais qui s'ennuie, l'illusion de vivre intensément.

Elle aurait pu avec sa jolie frimousse blonde se satisfaire du plaisir de faire tourner les têtes ou même de devenir professeur de langues.

C'eût été sans compter avec l'atavisme de la famille Imbert.

Si son père en robe d'avocat sut exorciser avec éloquence les tentations que l'entreprise familiale "les Marrons glacés d'Aubenas" n'a pu manquer d'exercer à son encontre et rester, en définitive, un ténor du barreau, la châtaigne qui pratique avec maestria le détournement de vocation sut faire de Stéphanie une victime consentante et heureuse.

Elle vient de prendre la succession de son grand-père à la tête d'une entreprise qui compte jusqu'à trente salariés au plus fort de la saison. Avec des arguments qu'il ne nous appartient pas de connaître, elle a même convaincu son mari Alexandre, promis à un bel avenir dans un laboratoire d'ophtalmologie, de la rejoindre. Ce faisant, elle n'a fait que suivre une tradition familiale solidement établie. En effet, si Gustave Imbert fondait les "Marrons glacés d'Aubenas" avant la guerre de 1914, son fils Maurice, un des plus jeunes Procureurs de la République de France abandonna sans regret une brillante carrière de magistrat pour perpétuer la tradition et prendre la direction de l'entreprise en 1950, avant de se résigner à ne la quitter que passé l'âge respectable des quatre- vingts ans. Décidément, la châtaigne sait à merveille jouer les sirènes pour séduire les navigateurs de l'industrie. Stéphanie Imbert, accrochée aux basques de son grand-père Maurice est tombée, comme Christophe Sabaton, toute petite dans le chaudron du marron glacé.

C'est une image bien sûr, bien que le terme de chaudron soit particulièrement bien adapté à son histoire puisqu'aux "Marrons glacés d'Aubenas" il n'est pas question de commettre la moindre infidélité envers une tradition tyrannique.

Et encore aujourd'hui, on y blanchit les marrons dans des chaudrons en cuivre.

Comme autrefois, on les glace dans les mêmes terrines en grès que l'on fait chauffer au bain-marie entre vingt et quarante heures pour que le sirop de sucre imprègne la chair du fruit avec une délicatesse de brodeuse. Impossible d'être plus respectueux d'une tradition que Stéphanie Imbert qui ne la remettra jamais en cause puisqu'elle y est viscéralement attachée.

De la même façon, aux "Marrons glacés d'Aubenas", on refuse l'emploi de fruits congelés et décortiqués. Chaque marron est pelé à la main et sa qualité soigneusement contrôlée.

Ce sont souvent des bouches-rouge, la variété locale, que les Imbert ont toujours privilégiées quand ils le pouvaient, c'est-à-dire quand la saison était bonne.

Cette intime association entre le respect de la tradition et la recherche de la qualité a établi la réputation de leurs marrons glacés bien au-delà des frontières donnant raison à Stéphanie Imbert qui a toujours su que cet appétit d'authenticité ne plaidait que pour une seule cause : celle de la châtaigne. Avec Stéphanie Imbert, la tradition possède son icône.

## Les forçats de la châtaigne

Jack n'en peut plus de lever les yeux au ciel.
Sa tête joue les toupies à passer d'une gigantesque enseigne lumineuse à une autre.
On approche des années quatre-vingts, elles vantent l'électronique et les marques de hi-fi japonaise, la dernière comédie musicale de Broadway, tandis que le chameau de Camel s'époumone à lancer ses derniers ronds de fumée au-dessus de Time Square avant que les ligues anti-tabac n'aient raison de sa soif de publicité.
Jack vient de réussir son diplôme de comptabilité, alors il s'est offert l'Amérique.
En arrivant il a dû acheter un pardessus dont il a relevé le col pour affronter le froid glacial qui transperce le coeur de Manhattan car au bord de la Méditerranée on n'a pas l'habitude de ces descentes vertigineuses de thermomètre.
A Collobrières, juste à deux petits cols de Saint-Tropez, le froid sait garder ses distances.
Le plus souvent, il est amical, cajoleur.

A dire vrai, le froid de l'Amérique, Jack n'en a cure. Il savoure le bruit, la musique, les odeurs d'essence brûlée, la foule compacte qui s'écoule sur la 44e rue et qui lui tient chaud.
Il aime l'éclat des néons qui lui colore le visage en rouge, en vert, en bleu, si bien qu'il en oublie la couleur de son propre regard. Il savoure l'Amérique.
Il savoure les énormes voitures américaines avec leurs chromes arrogants qui semblent à jamais prisonnières du mouvement perpétuel de la circulation.
De temps à autre, un yellow cab s'arrête au bord d'un trottoir pour charger à la hâte une silhouette fantomatique qui se découpe dans le rectangle de la lumière crue d'une vitrine. A New York, les magasins restent ouverts une partie de la nuit et dans leurs vitrines, l'unité de mesure qui éblouit Jack, c'est la montagne.
Des montagnes d'appareils photo japonais.
Des montagnes de calculatrices électroniques.
Des montagnes de walk-man.
Des montagnes de jeans et de baskets.
Parfois, un vendeur de pastrami ou un restaurant Delicatessen interrompt cette mélopée triomphante de la société de consommation. Jack a beau être ivre de mouvement, de bruit, de lumière, du bonheur de s'être livré rêves et poings liés à Manhattan qu'il prend pour l'Amérique, cette odeur il l'aurait reconnue entre mille. Espiègle, elle vient lui taquiner les narines avant de disparaître et de revenir plus entêtante pour jouer avec lui comme on joue avec un chat. Elle appartient à l'univers de la fête foraine et de l'enfance. Elle a aussi marqué toute son adolescence quand son père Charlie, ruiné, a dû repartir à zéro et qu'il les a enrôlés, son frère et lui dans son usine à tourbillons... Et pas question de discuter.

Dans la famille Gueit, quand le père donnait un ordre, on obtempérait.
A treize et quatorze ans les voilà embarqués sur le trimard.
Cette odeur, Jack la reconnaîtrait entre dix mille. C'est celle des marrons grillés.
A Manhattan, elle le surprend. Il n'avait jamais imaginé la retrouver de l'autre côté de l'Atlantique. Alors il la piste en se frayant un chemin à travers la foule pour s'arrêter à quelques mètres du marchand de marrons. Il est là, l'air maussade, le front buté, le sourcil coléreux, derrière une charrette à bras qui croule sous les châtaignes fraîches. Ici aussi, un vieux fût d'huile s'est mué en grilloir.
L'homme retourne les châtaignes d'un geste désinvolte, comme si tout l'ennui de la terre lui était tombé sur les épaules.
Il a déjà sa gueule de boxeur romantique qui le rendra célèbre, le visage et l'esprit fracturés, en état de colère perpétuelle.
Prêt à rugir.
Prêt à mordre.
Prêt à s'autodétruire dans l'alcool et la drogue.
En dépit du froid, il porte un tee-shirt sombre sous un blouson de cuir qu'il maintient ouvert dans un geste d'inutile coquetterie.
On vient pour les marrons et pas pour l'acteur.
Seule différence notable avec la France, les marrons grillés qu'il vous tend comme s'il vous faisait l'aumône, sont versés dans un petit gobelet en carton passé à la paraffine au lieu d'être emballés dans un cornet en papier journal.
Nous sommes en Amérique tout de même !
C'est un rebelle qui patauge déjà dans la légende de ses petits boulots. Il a été cantonnier, nettoyeur de piscines, videur dans des boîtes homo, et s'il vient de jouer dans une pièce de Jean Genet, acteur est à ses yeux, un petit boulot comme un autre. Après avoir emprunté quelques centaines de dollars à sa soeur, il vient de débarquer à New York pour vendre des marrons grillés à quelques pas seulement de l'Algonquin Hôtel.
On lit le nom en lettres majuscules sur le devant du dais vert qui avance dans la rue.
Vendre des marrons grillés lui va très bien. Il est déjà le fantôme de ses propres rêves.

Il ne reconnaît pas Jack qui est inconnu et qui le restera, sauf à Collobrières.
Jack ne reconnaît pas Mickey Rourke. Et pour cause, il n'a pas encore tourné "Neuf semaines et demi" et "Angel Heart" qui le propulseront pendant quelques temps, au sommet du box-office du cinéma mondial. Comme quoi, vendre des marrons au lieu d'en distribuer à droite et à gauche sur toutes les têtes qui ne vous reviennent pas, peut vous mener à la gloire.
Jack n'a gardé de l'Amérique que sa casquette de base-ball qu'il tient éternellement vissée sur un crâne rasé de près et, de sa rencontre improbable avec Mickey Rourke, que les mêmes épaules de bûcheron canadien.
Des biceps fort utiles au demeurant car sauter d'une Saint-Vincent à Meursault à une fête des lumières à Lyon, passer d'une vogue dans le sud-est à une ducasse dans le nord, sans oublier une halte ritualisée à la sortie de la gare de Cannes pour vendre des marrons grillés, tient de l'épopée. Avec les grilleurs de marrons, on ne donne pas dans l'image d'Épinal.
Le milieu est rude. Il a ses codes secrets, ses jalousies, ses coups bas. Il faut savoir jouer des coudes, parfois du pourboire, pour s'imposer et obtenir le meilleur emplacement. Car de l'emplacement dépend le niveau de la recette et il faut être prêt à tout pour être le premier à s'y installer. Un bon emplacement s'évalue d'un coup d'oeil.
- A quelques mètres près, les gens passent sans vous voir et c'est la catastrophe. Vous ne vendez rien, vous ne gagnez rien.
Jack et son frère Mick sont des nomades de la châtaigne. A partir de la Saint-Michel qui tombe le 29 septembre en même temps que les premières Marouges chutent des châtaigniers autour de Collobrières, ils prennent la route.
Ils vont parcourir la France et ses chemins de traverse tout le temps que va durer la saison. C'est éreintant. Il faut se lever à l'aube, se coucher à point d'heure et rouler... rouler encore et toujours.
- Et Paris ?
- Paris, on a bien essayé mais on n'était pas de taille. La vente des marrons grillés est contrôlée par de véritables mafias.

Les Pakistanais tiennent le Champ de Mars et les Invalides, les Arabes, les quartiers qui s'étagent de Belleville à Barbès, les Turcs se contentent de Saint-Michel et de Saint-Germain, sans parler des Indiens à la Bastille qui sont extrêmement violents. Si vous vous installez au milieu d'eux, cela commence par des menaces. Si vous ne cédez pas, ils vous font griller votre matériel, sans jeux de mots. Alors Paris on a préféré oublier...

La route a toujours été un lien mystique entre l'homme et son besoin de communion.

Jack, Mick et leurs compagnons assouvissent ce besoin dans cette vie d'errance qui se prolonge cinq mois de l'année. Elle est faite de rencontres fortuites, de contacts avec le regard d'un enfant, d'un peu de chaleur que l'on partage autour d'un sandwich arrosé d'une bière ou d'un verre de Pouilly Fuissé de chez Georges Duboeuf pris dans un café dans lequel on parle trop fort.

On se jure des amitiés éternelles qui ne vont durer qu'un soir. Cette vie de hasard apaise leur soif inextinguible de voir d'autres visages, de croiser d'autres regards.

Les grilleurs de marrons de Collobrières aiment le plaisir du compagnonnage.

La châtaigne serait-elle dotée de quelque pouvoir mystérieux, on n'oserait dire aphrodisiaque, car elle sait s'y prendre pour faire sortir l'homme de sa chrysalide et le révéler à lui-même.

Elle aimante les vocations.

Ni Jack, ni Christophe Sabaton, ni Paul Leynaud ou Stéphanie Imbert, n'avaient à l'origine imaginé un seul instant devenir un jour ses chevaliers

servants. Avec son diplôme de comptabilité publique passé dans des conditions, certes, acrobatiques, mais obtenu tout de même avec mention, Jack se préparait à "rentrer aux impôts" comme on disait à l'époque quand l'appel de la châtaigne le détourna de cette brillante carrière administrative à laquelle il se croyait prédestiné.

- Notre père n'aurait pas compris que nous abandonnions la châtaigne et l'entreprise qu'il avait réussi à rebâtir autour, après ses déboires.

Il l'aurait mal vécu.

Et sans doute qu'il en aurait voulu à ses fils pendant longtemps. Tout est dit. Chez les Gueit, la châtaigne nourrit la piété filiale...

Charlie, le père, est un survolté de la vie.

Il suffit de le voir traverser les rues de Collobrières comme une flèche, à près de quatre-vingts ans pour en être convaincu. Un seul regard et on saisit toute l'énergie qui l'anime encore. On peut être certain qu'il rumine un nouveau projet, qu'il aiguise une nouvelle idée, qu'il pense à améliorer les performances d'une machine.

Ses garçons ont intérêt à filer doux.

Il a l'autorité facile et un caractère de cochon et malgré leur âge avancé, c'est d'une toute petite voix qu'ils disent :

- Oui, papa.

Jadis, Charlie a mis au point des trieuses automatiques qui fonctionnent encore dans l'atelier baptisé comme il se doit, "Charlie Marrons".

Il a démontré toutes les ressources de son ingéniosité en perfectionnant une inciseuse capable d'entailler à une cadence infernale et sans l'abîmer, l'écorce de la Marouge.

Il a surtout dessiné et mis au point les fameuses locomotives, répliques poétisées de locomotives à vapeur qui constituent le fer de lance de la compagnie des "chemins de fer de la châtaîgne" alias "Charlie Marrons".

Chaudières en cuivre, couleurs pimpantes avec un joli noir réhaussé de rouge vif qui attire l'oeil et retient le chaland, l'entreprise dispose à présent d'une flotte d'une douzaine d'unités qui va s'égayer à chaque nouvelle saison sur les routes de France, hors Paris, pour y répandre la bonne parole de la châtaigne grillée du Var.

Il suffit de les atteler à un véhicule, à moteur de préférence, et les voilà sur les rails, prêtes à tailler la route. Charlie s'est inspiré de ses aïeuls qui grillaient le café vert dans un cylindre qu'ils faisaient tourner au-dessus de la flamme pour perfectionner l'art de griller les marrons. Il a doté chaque locomotive d'un cylindre identique. Ainsi la châtaigne grille uniformément et sa chair est beaucoup plus onctueuse.

Autant préciser tout de suite qu'avec Charlie Gueit et ses deux fils en relève, l'activité économique du marron grillé a changé d'échelle.

L'entreprise qui a prospéré a fait ipso facto de Collobrières l'épicentre d'une véritable industrie du marron grillé. La vie de Charlie Gueit c'est l'histoire de Cosette au masculin. Avec lui, l'aventure du marron grillé se donne des allures de mélodrame.

Elle a trouvé un héros à sa mesure. C'est le père Hugo revu par Pagnol. Le soleil de cette Provence-là est trompeur.

A deux ou trois collines et quelques méandres de Saint-Tropez et de ses fêtes débridées où le nombril du monde se donne chaque été en spectacle à lui-même à coups de champagne sabré dans les piscines et sur les seins de filles belles comme un jour qui se prolonge tard dans la nuit, ce soleil aiguise les haines plus sûrement que la meule du rémouleur les lames.

A dire vrai, il n'y a pas que le Réal, une petite rivière à laquelle on donnerait le bon Dieu sans confession, qui partage Collobrières en deux.

Il y a aussi l'histoire des familles et les rancunes qu'elles entretiennent comme des plantes vivaces.

Si on ajoute à cela le poivre de la politique qui met son grain de sel, on comprend mieux pourquoi il y en a qui se tournent le dos quand ils se font face. A Collobrières, il arrive qu'on ne se parle plus depuis deux ou trois générations.

Un tel climat ne pouvait qu'influencer Charlie...

Il n'a pas encore treize ans.

En principe, c'est un âge où l'enfance joue les prolongations. Pour lui, elle a déjà tiré son rideau.

En pleine nuit, il doit se lever, chercher à tâtons ses habits sur une chaise bancale dont la paille est défoncée, chausser ses brodequins à bouts ferrés que le sommeil va faire sonner sur les pierres de la route, atteler le charreton à l'âne et charger le grain ou le fourrage que chaque jour il livre à des marchands de Toulon. A treize ans il est déjà transporteur. Il doit faire vivre et son père malade et sa mère qui l'a eu très tard. Ils sont vieux. Il doit s'occuper d'eux. Le théâtre de sa vie a posé son décor. Il est peint aux couleurs de la pauvreté. C'est pendant la guerre qu'il rencontrera Jean Marcel à qui il rendra de multiples services. La rumeur en fait le fils naturel de Mistinguett qui lui aurait donné le jour, comme par inadvertance, entre deux entrechats. La souffrance peut vous broyer. Charlie ne se plaint pas. Il serre les dents. Il se bat. Il forge son caractère. Et le caractère reste peut-être le meilleur talisman pour transformer le plomb en or, à condition d'être un peu alchimiste et d'avoir de l'ambition. Charlie en a à revendre.

Dès que les cloches de la paix eurent carillonné à pleines volées, il s'endette plus que de raison pour acheter un Berliet GkR7 et transporter à la gare de la Garde-Freinet les châtaignes que l'on produit aussitôt après la guerre finie à raison d'un millier de tonnes par saison et que cinq ou six négociants expédient par wagons entiers dans l'est de la France, principalement vers Nancy et Strasbourg, sous l'appellation "Les Marrons du Luc".

La Garde-Freinet s'est posée à mi-chemin de Collobrières et de Saint- Tropez, au milieu de collines que les chênes-lièges avec leurs fûts charbonneux qui cicatrisent après chaque récolte et les châtaigniers ont pacifiées car sans eux, elles s'offriraient de sacrées ruades au-dessus du vide.

A cette époque, une "mariée qui était en noire" n'y avait pas encore acheté sa maison de campagne, une belle maison de pierres calfeutrée entre deux ressauts de forêt.

Qu'elle ait été en tablier dans sa cuisine, occupée à éplucher des légumes ou à servir un kir à un hôte de passage, qu'elle ait été en robe du soir, assise sur la dernière marche de sa mezzanine, en train de fourrager dans la chevelure de jais d'un de ses amants, Jeanne Moreau n'aura jamais été rien d'autre qu'une reine.Charlie a effectué des centaines de fois le trajet entre Collobrières et La Garde-Freinet. Il n'a jamais rencontré Jeanne Moreau. Néanmoins les lacets de la route auront eu au moins le mérite de l'inspirer. Ils le feront entrer dans la spirale de l'entrepreneur dont chacun sait qu'il a vocation de capter le maximum de valeur ajoutée. Au lieu de se contenter d'assurer le transport des châtaignes fraîches, Charlie Gueit s'est mis en tête de les vendre et de les expédier lui-même. Aussitôt pensé, aussitôt fait.Le voilà donc marchand après avoir été transporteur.

Le voilà aussi avec ses premiers départs de haine comme il y a des départs de feu car les négociants en place n'ont guère apprécié ce nouveau concurrent. Surtout que dans la foulée, Charlie a décidé de monter une usine de marrons glacés, la texture de la Marouge qui est une châtaigne à l'embompoint respectable se prêtant particulièrement bien à la confiserie et au glaçage.

C'est quelquefois à la lumière de la bougie que sa femme et lui, transformeront une ancienne fabrique d'aggloméré de liège en confiserie.

La mue architecturale est réussie malgré la bougie, et les affaires peuvent prendre leur envol.

Tout aurait pu continuer comme ça pendant longtemps. C'eût été sans compter sur le destin qui aime rien moins que de jouer ses tours en sortant des cartes biseautées de son sac à malices.

La caution d'une famille, sinon riche du moins aisée s'était avérée indispensable pour obtenir des banques, du crédit.

Il en avait besoin pour avancer les travaux de l'usine et surtout financer l'achat de la première récolte à transformer en marrons glacés.

Quand l'époux puis l'épouse du couple qui s'était porté caution disparaissent à quelques semaines d'intervalle, les banques sonnent le tocsin. Elles se précipitent à Collobrières pour l'hallali.

De ce point de vue là, rien n'a vraiment changé...

Englué dans les dettes, comme la mouche au milieu de la toile d'araignée, Charlie, ne trouve pas d'autres ressources que d'aller trouver ce Jean Marcel qui lui avait juré une amitié indéfectible pendant la guerre puisqu'il avait besoin de lui.

Dans sa somptueuse villa blanche de Bormes-les- Mimosas, le fils putatif de Mistinguett mène grand train entouré de ses gitons, Armand et Alfred. C'est sous la gouaille caustique et délicieusement vulgaire de l'interprète de "Mon Homme" que les hommes, dont plusieurs ne le sont qu'à demi, engagent la discussion. Le temps a beau avoir sonné le glas de la beauté de Mistinguett, ses jambes qui ont fait la gloire des revues des Folies Bergères et du Casino de Paris ont conservé un galbe à damner un séminariste. Surtout que la discussion se prolongeant, Mistinguett qui propose à la cantonade café ou vin de Bandol, sait les croiser à bon escient. Charlie en perd le fil de ses pensées. Il signe tous les papiers que lui présente Jean Marcel. Sans même les lire, d'ailleurs il sait à peine lire. Lui, travaille à la confiance, à la parole donnée. Puisque Jean Marcel a parlé comme un "Saint-Jean bouche d'or", puisqu'on s'est à nouveau tapé

sur l'épaule et juré amitié, tout est bien.

L'usine de marrons glacés est sauvée.

Les banquiers ne l'auront pas.

C'est un Mardi gras que les masques tombent.

Le trio formé de Jean Marcel et des inséparables Armand et Alfred arrive à Collobrières dans une superbe traction-avant blanche décapotable. Même à deux cols et quelques lieues de Saint-Tropez, le trio ne passe pas inaperçu. Début des années cinquante, les dandies donnent dans le lin blanc et la rayure tennis. Alfred a posé sur des cheveux qui tirent sur le roux et dont il entretient avec un soin maniaque l'ondulation naturelle, une casquette blanche. Armand et Jean Marcel, eux, préfèrent avoir à se recoiffer pour qu'on les remarque. Quand le trio pénètre dans l'usine, les trente ouvrières qui préparent une fournée de marrons glacés se retournent comme un seul homme. Jean Marcel vient prendre possession de son usine. Il a des papiers en règle et des pourcentages qui parlent en sa faveur.

Il est des pourcentages qui vous tuent un homme plus sûrement qu'une balle.

Charlie ne se retrouve plus propriétaire que du quart de l'usine et en plus il doit travailler. D'invectives en justifications, le ton monte. Les menaces fusent. Pour rester dans la note, les premières châtaignes pleuvent. C'est surtout Charlie qui les distribue, force est de le reconnaître. Armand qui a voulu s'interposer finit dans les terrines de grès où les châtaignes, les vraies cette fois, finissent de s'imprégner de sucre.

- Je vais te buter ! hurle Charlie.

Jean Marcel qui n'a pas fait du courage une armure s'effondre.

Il supplie.

Promet tout et encore davantage. Il étale ses bons sentiments comme une mise au baccara.

L'épopée bascule dans l'opéra bouffe.

C'est un malentendu... Grand seigneur, Charlie pardonne et offre le pastis.

Trois jours plus tard, des gendarmes qui ne sont pas d'opérette viendront faire appliquer à la lettre les termes du contrat.

Jean Marcel vient de s'emparer de l'usine pour le prix d'une cuillère de crème de marrons.

Charlie est ruiné et endetté puisqu'il lui revient, suprême élégance de ceux qui le dépouille, la charge de payer aux producteurs la récolte de châtaignes qu'il avait faite rentrer.

- J'ai mis plusieurs années, mais j'ai payé mes dettes jusqu'au dernier centime. Je suis reparti à zéro avec les producteurs qui m'ont fait confiance. J'ai recommencé par vendre des châtaignes sur les marchés de gros de Marseille...

La fameuse usine existe encore. Elle fabrique toujours les célèbres marrons glacés de Collobrières à l'enseigne de la "confiserie azuréenne", elle n'appartient plus depuis des lustres à Jean Marcel, mais jamais Charlie n'a adressé la parole à ses nouveaux propriétaires.

Une affaire d'orgueil sans doute ?

C'est beaucoup plus tard que Charlie a eu l'idée des locomotives et a créé "Charlie Marrons".

L'affaire a prospéré. Néanmoins pour pallier les inconvénients d'une activité très saisonnière, Charlie achètera une plage privée au Lavandou. En hiver les marrons, en été la plage et ses matelas dont le décompte mesure le degré de prospérité de l'entreprise. La plage de Charlie comptera jusqu'à six cents matelas et parasols.

C'est sous un de ces parasols que Jacques Brel viendra goûter de temps-en-temps au plaisir du repos. Entre deux tournées. Entre deux cafards. Entre deux amours. Entre deux cigarettes. Il n'a que quelques mètres à parcourir pour sortir de l'appartement qu'il a acheté à «Miche», sa femme qui y fait l'été de longs séjours avec ses deux filles France et Isabelle, et s'évader vers de nouveaux rêves. L'appartement est décoré de style anglais avec un canapé Chesterfield, des meubles de bateau en acajou et des pendules toujours à l'heure puisque le temps qui passe obsède le Grand Jacques. C'est au milieu de la matinée que Jacques Brel descend sur la plage, le corps drapé dans une immense serviette blanche nouée autour des reins.

De temps en temps, il s'abandonne à quelques parties de dames avec Charlie.
- Il ne m'a jamais battu, clame fièrement Charlie.
Jacques Brel, remonte bientôt à l'appartement, le regard déjà tourné vers "l'inaccessible étoile". 
Plus tard, Michel Gueit apprendra à France Brel, les rudiments de la voile et... du baiser. Pendant ce temps, Jack et Christophe Sabaton qui adore la mer et qui a pris l'habitude de suivre sa famille au Lavandou pour des vacances indolentes, joueront à être frères, le jeu préféré des âmes de solitude. Jack se disait que le simple fait d'avoir croisé la route de quelques-unes de ces vedettes de music-hall, d'avoir pu échanger quelques mots avec elles, devait suffire pour qu'elles aient déposé dans son existence à lui, comme au creux d'un cahier, quelques particules élémentaires de cette poussière d'étoiles qui les nimbaient. La certitude le gagnait que de ces brefs échanges embellis par sa mémoire, ne pouvait que surgir quelque chose qui ressemblat au bonheur. Plus tard, bien plus tard, il se délecterait de l'évocation de ces moments magiques chaque fois que le cafard se ferait trop hargneux.
Ne restera de ce temps d'insouciance, comme aurait pu l'écrire Jacques Brel, que quelques photos jaunies et une amitié qui dure. Elle lie encore les deux familles, bien que depuis longtemps, la plage du Lavandou ait été revendue pour que Charlie Gueit et ses fils puissent se consacrer entièrement à la châtaigne.
"Charlie Marrons" a évolué. L'entreprise a inscrit à son répertoire la fabrication de la crème de marrons et de succulentes châtaignes confites dans l'armagnac, une gourmandise de prince, tout en confortant sa vocation première qui reste le marron grillé.
Grâce à ses douze locomotives qui ne soufflent pas un instant en saison, "Charlie Marrons" parvient à en griller entre cinquante et cent tonnes chaque année, que les frères Gueit achètent aux cent cinquante producteurs locaux officiellement recensés.

Malheureusement beaucoup d'entre eux ont hérité de la châtaigneraie en même temps que du virus de la résidence secondaire. Absents une partie de l'année, ils ont tendance à la laisser à l'abandon, ce qui constitue, au mieux un crime de lèse-châtaigne, au pire une erreur, puisqu'une châtaigneraie bien entretenue reste encore le meilleur pare-feu qui soit pour protéger la forêt méditerranéenne des ravages des incendies si fréquents dans ce massif des Maures.

Les bonnes années - il faut qu'il pleuve entre le quinze août et le quinze septembre pour faire une bonne année - la châtaigneraie varoise délimitée par les villages des Mayons, de Gonfaron, de La Garde-Freinet et bien sûr de Collobrières produit près de quatre cents tonnes de châtaignes, principalement de la Marouge. Dans cette région aussi, il suffirait de bien peu de choses pour relancer la production. D'un peu de bonne volonté, de débouchés plus larges, de quelques subventions pour financer le forage de puits dans la châtaigneraie afin de l'irriguer les années de grande sécheresse et parvenir à une meilleure régularité de la production. L'office de tourisme de Saint-Tropez songerait même à ouvrir une maison de la châtaigne dans cette capitale de tous les excès. La confrontation singulière entre l'univers de l'apparence, de l'artifice des sentiments et de la châtaigne qui incarne à merveille ces valeurs d'authenticité seules capables de remettre d'aplomb un monde déboussolé ne manquerait sans doute pas de piquant...

Pour nourrir la curiosité du sociologue, il faudrait voir aussi la tête de tous ces noctambules, grands amateurs de fêtes débridées et de cette "techno" au rythme compulsionnel que seule une anomalie génétique peut faire passer pour de la musique, donner du front, au petit matin, contre la devanture de cette maison de la châtaigne.

Le contraste pourrait être très enrichissant. Cependant, il faut convenir qu'exposée à Saint-Tropez, la châtaigne bénéficierait d'une vitrine exceptionnelle qui lui permettrait de tenir son rang, les hordes de touristes ne propageant pas uniquement les épidémies de l'été mais aussi les modes. De cette façon ils pourraient contribuer, même si c'est à leur insu, à accélérer le retour en grâce de la châtaigne dans notre inconscient collectif et dans nos habitudes alimentaires. Une chose est certaine, il manquait à la châtaigne un théâtre où toutes les passions qu'elle inspire seraient en représentation. A Saint-Tropez, elle en trouverait un à sa mesure.

Comme n'importe quelle forêt, c'est à l'automne que la châtaigneraie est la plus romantique. Elle se pare alors de mille feux dont chaque nuance de roux, de brun, de terre de Sienne, de carmin réinterprète la douce mélodie du temps qui passe. C'est aussi la saison des récoltes, des fruits, des brumes qui délayent les couleurs comme le blanc de zinc sur la palette d'un peintre.

Mais il ne faut pas s'y tromper, la châtaigneraie aime à préserver son intimité.

Elle se défend "bogue et ongles".

D'abord en investissant les pentes les plus abruptes dont elle fixe le sol et qui découragent les promenades. Et quand des châtaigniers s'alanguissent dans les méplats d'un terrain, il faut savoir qu'ils sont là pour produire et qu'ils verraient d'un très mauvais oeil qu'on les dérangeât.

Tout cela pour dire que le bucolique ne fait pas forcément bon ménage avec le sieur châtaignier. Néanmoins, au détour d'un chemin, quelques vieux châtaigniers plus débonnaires, parce qu'indolents et repus, osent s'enlacer pour former une voûte sous laquelle on se sent retrouver son âme d'enfant. L'impression tient du sortilège. Alors la châtaigneraie se met à ressembler, aux yeux de cet homme moderne qui n'en finit pas d'accélérer sa course contre le temps, à une forêt de Brocéliande dans laquelle il va pouvoir tenter de reconstruire son imaginaire.

MARRONS
A
L'EAU DE V
30F

# épilogue

La châtaigne est devenue un fruit à la mode. Rançon de cette gloire toute neuve, on tente de récupérer son image d'authenticité pour l'accommoder un peu à toutes les sauces, sans que les résultats de ces diverses tentatives soient toujours probants au plan économique ni heureux dans le registre gustatif.

Toutefois, certaines utilisations plus que d'autres semblent dépasser le simple effet de mode et promettre un bel avenir à la châtaigne en lui offrant une chance véritable de diversifier ses débouchés. On peut placer en tête de ces réussites la "Pietra", une bière Corse qui ne cesse d'étendre sa notoriété.

BIERA CORSA
Pietra
BIERA CORSA
Pietra
BIERA CORSA
Pietra
CORSE

# La « Pietra d'Armelle »

Armelle Sialelli a épousé la châtaigne comme on entre en religion, c'est-à-dire en lui vouant un culte sans partage. Cette femme qui vit la plénitude de sa beauté a la gentillesse à fleur de coeur. Elle fait partie de ces êtres dont la passion vous donne envie de croiser la route rien que pour le plaisir de les entendre. En l'occurrence, l'entendre conter l'histoire de la bière et de ses fermentations.
La bière est née dans l'antiquité, autour de la Mésopotamie, avant de coloniser l'Egypte des pharaons. On a d'ailleurs retrouvé dans les pyramides qui leur servaient de tombeaux, des brasseries miniatures avec lesquelles ils se sont fait momifier pour abreuver leur soif d'éternité, la pyramide étant censée contenir tout ce qui leur permettrait de poursuivre leur vie dans l'au-delà.
Certains scribes prétendraient même que c'est en offrant une coupe d'or remplie de bière glacée à Antoine pour qu'il se désaltère, que Cléopâtre subjugua le vaillant guerrier romain plutôt que par la qualité intrinsèque de son appendice nasal à la beauté duquel, comme tout soudard en campagne, il attachait autant d'importance qu'à sa première tunique. Mais l'histoire préférera toujours à la prosaïque réalité, la légende embellie...
En revanche, ce qui n'appartient pas à la légende, c'est l'histoire de la "Pietra", cette bière corse fabriquée à partir de la fermentation de malt mélangé à de la farine de châtaigne, mise au point par Dominique Sialelli, le mari d'Armelle, dans leur petite brasserie de Furiani, près de Bastia. On aurait pu imaginer que cette bière qui contient dans les feux de ses reflets ambrés une part de l'âme corse naisse autour d'Orezza, de Piedicroce ou de Cervione, éphémère capitale de l'île de beauté pendant quelques mois de l'année 1736, trois villages de pierres rousses qui plongent leurs toits de lauzes au coeur de la Castagniccia.

La Castagniccia est le royaume du châtaignier.
On n'y pénètre que par un lacis de routes rétives qui savent si bien vous révéler un de ces paysages corses dont la beauté vous coupe le souffle.Les impératifs économiques ont obligé les Sialelli à choisir Furiani, alors va pour Furiani, d'autant que la "Pietra" tire son nom des premières syllabes de Pietraserena, le berceau de la famille Sialelli, un village de l'extrême sud de la Castagniccia.

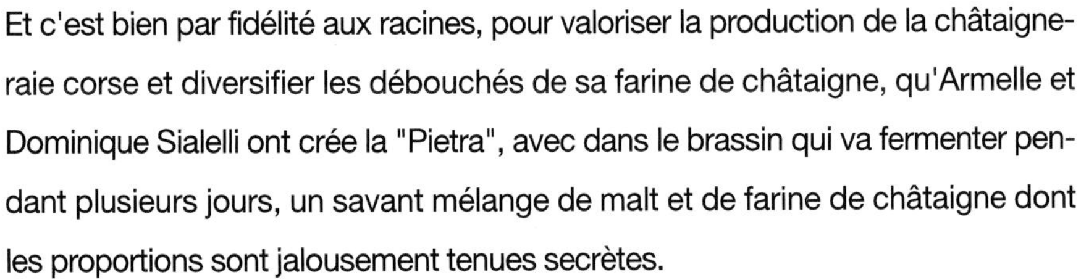

Et c'est bien par fidélité aux racines, pour valoriser la production de la châtaigneraie corse et diversifier les débouchés de sa farine de châtaigne, qu'Armelle et Dominique Sialelli ont crée la "Pietra", avec dans le brassin qui va fermenter pendant plusieurs jours, un savant mélange de malt et de farine de châtaigne dont les proportions sont jalousement tenues secrètes.

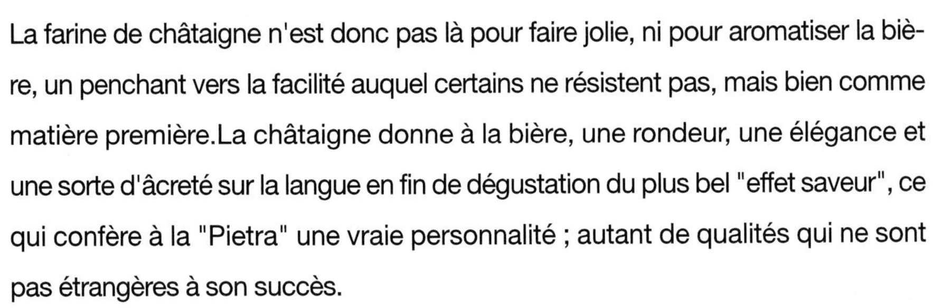

La farine de châtaigne n'est donc pas là pour faire jolie, ni pour aromatiser la bière, un penchant vers la facilité auquel certains ne résistent pas, mais bien comme matière première.La châtaigne donne à la bière, une rondeur, une élégance et une sorte d'âcreté sur la langue en fin de dégustation du plus bel "effet saveur", ce qui confère à la "Pietra" une vraie personnalité ; autant de qualités qui ne sont pas étrangères à son succès.

Que ce soit en fûts pour la pression, en bouteilles ou en boites, la "Pietra" représente plus de la moitié des 20 000 hectolitres que les Sialelli brassent chaque année dans leur brasserie qui ne désemplit pas l'été quand elle se met en représentation, toutes "portes ouvertes".

En moins de deux ans, la "Pietra" a trouvé son marché.

Elle représente une aubaine pour les producteurs de farine de châtaignes corses qui vont ainsi pouvoir continuer à se faire "mousser".

# La Liqueur New-Age

La châtaigne n'aurait-elle pas tendance à puiser son inspiration dans la "Dive bouteille" puisqu'elle semble y trouver toutes les justifications possibles et imaginables à la cure de jouvence qu'elle a entrepris de s'offrir, un vrai lifting des papilles !

En effet, après la bouteille de bière à la châtaigne, c'est au tour de la liqueur de châtaigne à pointer le haut de son col. Dans tous les villages qui jouxtent les châtaigneraies françaises, des dizaines et des dizaines d'artisans s'abandonnent ainsi, avec plus ou moins de bonheur, à l'art délicat de distiller la châtaigne. Il faut bien admettre que les résultats sont parfois bien alambiqués...

N'empêche qu'il faudrait être très sot, ou pire encore, un intégriste de la tempérance pour se priver du plaisir de déguster à l'heure de l'apéritif le "Castagnou", un peu de liqueur de châtaigne au fond d'un verre de vin blanc.

La suavité de la liqueur de châtaigne s'offrant même un mariage royal avec les notes d'agrume légèrement acidulées d'un grand champagne. A condition toutefois d'utiliser une liqueur digne de ce nom, puisque comme en toutes choses, la réussite d'une liqueur dépend d'abord du talent de celui qui l'a conçue.

Les Gauthier, Jean, le père, relayé par son fils Denis, ont commencé par distiller à Saint-Désirat, les poires Williams du verger familial. L'entreprise aurait pu se limiter à faire fructifier ce grand classique de l'alcool blanc, si les Gauthier n'avaient eu en parallèle l'ambition de jouer les ethnologues de la distillerie.

Ils se sont mis à parcourir le monde pour dénicher, et au besoin remettre en état,

les alambics les plus rares, si bien qu'en 1991, un des plus beaux parmi tous les musées consacrés à l'alambic en France, ouvrait ses portes à Saint-Desirat. Désormais, au moins cent cinquante mille visiteurs par an tirent de sa paisible somnolence cette petite bourgade du nord de l'Ardèche.

Le musée a permis, en quelque sorte, à la distillerie de disposer d'une clientèle captive. Par conséquent, la nécessité d'élargir la gamme de la production est apparue très tôt. L'environnement favorable à la châtaigne orientant tout naturellement, les Gauthier vers sa transformation en liqueur.

Mais pour réussir ce qui apparaît dès lors aux yeux de certains critiques comme une des meilleures liqueurs de châtaigne, sinon la meilleure, ils auront passé plus de deux ans pour la mettre au point.

Ils auront tâtonné, hésité, osé des mariages de saveurs avant d'y renoncer.

En définitive, un véritable travail de bénédictin pour trouver l'équilibre parfait entre l'alcool, le caramel et quelques autres épices ou herbes qui donnent à la liqueur Gauthier son petit goût de grillé qui constitue sa signature.

Les Gauthier veillent avec un souci pointilleux à préserver leurs secrets de fabrication. Ils ne les entrouvrent que pour concéder du bout des lèvres qu'ils commencent par faire macérer de la farine de châtaigne dans de l'alcool avant de distiller l'alcoolat ainsi obtenu dans leurs alambics de cuivre.

Impossible d'en savoir plus. Après tout le secret ne fait-il par partie de leur art ?

# La Bourganel

La réussite corse aurait elle inspiré Christian Bourganel ?

On ne connaîtra jamais avec exactitude les méandres que peut emprunter une idée, et après tout qu'importe, car s'il vient de lancer à son tour une bière à base de châtaignes, en profitant d'une eau de source des plus pures qui coule en abondance à Vals-les-Bains, ses motivations sont les mêmes qu'Armelle et Dominique Sialelli : là-bas, valoriser la production de la châtaigneraie corse, ici, celle de la châtaigneraie ardéchoise.

La "Bourganel" utilise de la purée de châtaigne produite sur place. Elle est mélangée avec le malt dans la proportion de 4 %.

Elle sera brassée pendant une douzaine d'heures avant de fermenter pendant huit jours environ dans des cuves en inox réfrigérées.

Au final, la "Bourganel" offre à l'oeil une robe brillante, présente une mousse compacte avec une bouche ample et des notes caramélisées.

L'objectif initial de Christian Bourganel était de faire la promotion d'une région - et bien sûr de pouvoir en vivre - à travers la bière à la châtaigne qui porte son nom. Avec une production qui oscille autour des 120 000 bouteilles, deux saisons à peine après son lancement, on peut dire qu'il a atteint son objectif.

En effet, ce sont 120 000 parcelles des saveurs de l'Ardèche qui glissent à chaque fois dans 120 000 gosiers, de quoi étancher la soif de notoriété de toute la région.

# Les « Châtaignettes »

Il en est deux qui voudraient bien préserver encore longtemps les secrets de fabrication de leur marque déposée "Les Châtaignettes" qui enchante la bouche avec de délicieux biscuits dans lesquels la farine de châtaignes joue les coqs en pâte, ce sont Jean-Philippe Yontchev et Karine Bourret.

Le premier a fait son apprentissage de pâtissier chez le père de la seconde. S'ensuivit une histoire pétrie d'amour qui vit naître - nous nous bornerons aux considérations pâtissières - grâce au talent sans partage de Jean-Philippe Yontchev, tuiles à la poussière de noisettes, macarons, croquants et croquettes aux amandes grillées qui n'en finissent pas de donner le meilleur d'eux-mêmes comme Don Juan ne peut s'arrêter de donner de l'amour, en un mot toute une gamme de gâteaux secs, tous meilleurs les uns que les autres, fabriqués artisanalement à Saint-Privat, autre village d'Ardèche dédié à la châtaigne. En découvrant les saveurs subtiles de ces productions, on ne peut que se répéter que ce jeune pâtissier a eu mille fois raison de quitter les rivages de la pâtisserie traditionnelle pour oser l'aventure de ses propres créations. C'est de l'or véritable qui coule chaque jour de son fournil.Pour les producteurs locaux de farine de châtaigne, les "Châtaignettes" ne sont pas non plus un mirage, car chaque mois, ce sont entre deux cents et trois cents kilos de farine de châtaignes que Jean-Philippe Yontchev transforme en biscuits que l'on trouve dans les épiceries fines et les meilleures boutiques de produits régionaux. Grâce à un savant cocktail d'opiniâtreté, d'audace et de chance aussi, Jean-Philippe Yontchev et Karine Bourret sont en train d'offrir à la châtaigne une de ses plus belles diversifications.

HUILE
DE MASSAGE
À LA CHÂTAIGNE
CHESTNUT
MASSAGE OIL
NATURE
découvertes
SAVON MASSEUR
À LA CHÂTAIGNE
CHESTNUT MASSAGE SOAP
NATURE
découvertes
À LA CHÂTAIGNE
CRÈME POUR LES PIEDS
À LA CHÂTAIGNE
NATURE
découvertes
CRÈME POUR LES MAINS
À LA CHÂTAIGNE
CHESTNUT HAND CREAM
NATURE
découvertes

# Voluptueuse châtaigne

Manquait à la châtaigne de réussir son rendez-vous avec la volupté. S'adressant par essence à tous les sens, elle devait bien un jour ou l'autre donner dans le registre d'une séduction qui ne soit pas que gastronomique pour plonger le corps dans l'extase bienheureuse. Dans le passé, quelques timides tentatives d'herboristes un peu plus éclairés que d'autres avaient déjà eu lieu.

Ils avaient proposé dans leurs bocaux des infusions de feuilles de châtaignier pour soigner bronchites et coqueluches, certains s'aventurant même jusqu'à préparer des onguents à la feuille de châtaignier en profitant de ses propriétés vasoconstrictrices et astringentes pour combattre les rhumatismes. Mais rien qui fût à grande échelle, ce côté remède manquant par ailleurs singulièrement de pouvoir de séduction. C'est la chaîne de magasins "Nature et Découvertes" qui s'est engouffrée dans la brèche en inscrivant à son catalogue toute une gamme de savons, de crèmes, d'huiles de massage, de produits pour le bain à la châtaigne, préparée par un grand laboratoire cosmétologique, ce qui lui donne la caution scientifique indispensable pour que la châtaigne puisse voir son avenir en grand.
"Nature et Découvertes" propose aussi une huile de massage qui recoure aux vertus de la feuille de châtaignier pour rehydrater et tonifier la peau.
On ne peut également que succomber avec la meilleure grâce du monde à cette voluptueuse invitation à glisser dans son bain de petits ballotins de sels à la châtaigne pour en renforcer le bien-être et vérifier le principe d'Archimède bien connu, selon lequel tout corps plongé dans l'eau déplace son volume équivalent de plaisir.

# en savoir plus

## Le châtaignier : un bois d'avenir

Les multiples qualités du bois de châtaignier en font une essence qui revient au premier plan. Depuis plusieurs années la demande augmente si bien que plusieurs projets se télescopent pour redynamiser cette filière.

Par exemple le Conseil Régional Rhône-Alpes a proposé de la faire entrer dans le cadre des programmes intégrés forêt-bois (60 % d'aide sur les études et la recherche et 15 % sur les investissements).

En France le châtaignier occupe une superficie estimée à 530 000 hectares, ce qui représente la troisième essence de feuillus après le chêne et le hêtre.

En Ardèche les châtaigneraies occupent 32 000 hectares soit 14 % de la superficie boisée. La plupart d'entre elles, comme en Corse, sont à l'abandon et représentent par conséquent un potentiel important de valorisation.

La châtaigneraie ardéchoise équivaut à 3 730 000 m3 dont 30 % de bois d'oeuvre et 70 % de bois d'industrie.

Moins de 10 % de l'accroissement biologique annuelle sont récoltés, soit moins de 10 000 m3 par an.

## La production de châtaignes dans le monde

La production mondiale de châtaignes est estimée à 500 000 tonnes. La zone asiatique avec la Chine, le Japon et la Corée du sud est de loin la première productrice avec plus de 300 000 tonnes. La Turquie produit 90 000 tonnes de châtaignes.

L'Europe, quant à elle produit 140 000 tonnes de châtaignes, une production concentrée sur le pourtour du bassin méditerranéen.

L'Italie avec 72 000 tonnes représente à elle seule plus de la moitié de la production européenne. L'Italie devance l'Espagne qui arrive en seconde position avec 24 000 tonnes et le Portugal 19 000 tonnes.

## La production Française

La France produit actuellement entre 10 000 et 12 000 tonnes de châtaignes par an. Elle est par ailleurs un pays qui consomme beaucoup de châtaignes puisqu'elle est le premier importateur européen avec un tonnage d'importations à peu près équivalent à sa propre production, ce qui réserve une marge intéressante de progression aux producteurs nationaux.

La première région française productrice de châtaignes est constituée d'une zone qui englobe une partie de l'Ardèche et des Cévennes. Elle produit entre 6 000 et 7 000 tonnes de châtaignes par an sur 8 000 hectares encore exploités. Pour mémoire, la production de cette zone représentait 40 000 tonnes en 1860 soit près de 4 fois la production nationale actuelle.

L'Ardèche et les Cévennes devance la Corse qui produit 1 200 tonnes de châtaignes dont 85 % sont transformées en farine.

La Lozère produit 800 tonnes. Le Gard : 400 tonnes. L'Aveyron : 400 tonnes.

Le Var : 400 tonnes Le Limousin : 150 tonnes. Les Pyrénées Orientales : 40 tonnes.

## L'esprit feuillardier

Le pays des feuillardiers dispose désormais de son association de promotion du marron et du châtaignier et des moyens de faire entendre sa voix. Elle a d'abord été servie par des circonstances favorables qui ont donné de l'impact à son message, à commencer par le marasme sur la vente des pommes qui a conduit beaucoup d'arboriculteurs à arracher leurs arbres fruitiers avant de replanter des châtaigniers. Ils y sont d'ailleurs incités par des subventions d'environ 20 à 30 000 Frs par hectare replanté.

La tempête du siècle qui a fait tomber les pins comme une boule les quilles, a fait également prendre conscience qu'il était indispensable de réintroduire une plus grande diversité d'espèces dans la forêt limousine afin qu'elle résiste mieux aux aléas climatiques.

Dans le Limousin on ne commercialise guère plus d'une centaine de tonnes de châtaignes chaque année ce qui est peu mais n'inclut pas l'autoconsommation très importante, ici, par tradition.

Dans le Limousin en vingt-cinq ans on a replanté trois cents hectares destinés à la production de fruits, il devrait à terme produire quatre cents tonnes de nouvelles variétés.

En effet un arbre ne commence à produire qu'au bout de cinq ans mais il faut compter dix années avant que le produit de la vente équilibre les frais engagés.

Dans le Limousin subsiste un véritable esprit de clocher ou chacun défend sa variété de prédilection.

Les plus fréquentes, et surtout celles qui sont considérées comme les meilleures aussi bien en Limousin que dans le Périgord voisin, sont la Nouzillarde, très vanillée, la Bournette, la Maridonne ou la Bouche de Betizac, la Belle Epine, la Bourrue. Une bonne châtaigne d'après le code gustatif mis au point par la première confrérie des "Francs-Goûteurs de châtaigne" doit être fondante, pas trop étouffante ni trop granuleuse, ni surtout trop farineuse. Elle doit avoir du sucre et de la saveur et offrir à l'oeil une belle couleur blonde. En tous les cas il est un signe que la châtaigne est bien un produit de racine que l'on redécouvre ; comme en Ardèche, les fêtes de la châtaigne se multiplient en Périgord-Limousin, la plus célèbre d'entre-elles étant celle de Dournazac qui attire chaque année dans ce petit village de sept cents âmes, plus de dix mille visiteurs.

De même, à Limoges se déroule tous les deux ans un grand concours national présidé par une toque illustre sur le thème : "Châtaigne et Gastronomie", étant entendu que l'on ne peut dissocier l'avenir économique de la châtaigne de son utilisation dans les recettes culinaires. En cuisine, elle ne cesse d'occuper une place de plus en plus importante, puisqu'elle s'accommode aussi bien de la simplicité rustique d'une tradition paysanne comme la rôtie de châtaignes que l'on mélange dans le Limousin avec du lait caillé, qu'elle s'adapte à l'imagination fertile des grands chefs qui savent la faire rentrer dans des recettes les plus raffinées aux saveurs les plus complexes.

## Extrait du discours de Paul Leynaud aux assises des Vans

Monsieur le Ministre, Monsieur le Préfet, Messieurs les Parlementaires,
ces producteurs vous demandent aujourd'hui de faire reconnaître le châtaignier comme arbre d'intérêt national et ses spécificités. Il n'en manque pas.
Il s'agit de la dernière production fruitière encore non délocalisée c'est-à-dire produisant sur ses zones naturelles d'implantation

... Elle constitue un atout essentiel pour la survie de ces territoires situés dans des zones défavorisées qui sont devenues des zones de fracture pour l'agriculture...
... La châtaigneraie participe au maintien de plus de 3000 exploitations en constituant une part importante de leurs revenus...
... La sauvegarde de la châtaigneraie traditionnelle et son développement durable pourraient s'appuyer sur trois axes complémentaires.
1) une action de reconquête de la châtaigneraie abandonnée, susceptible de créer de nombreux emplois et de favoriser l'installation de nouveaux producteurs.
2) une politique dynamique de la filière fondée notamment sur la promotion des produits à partir d'appellation d'origine contrôlée.
3) la contractualisation et la reconnaissance des fonctions de service induites par la production des châtaigneraies qui permet d'entretenir et de sauvegarder l'espace rural. Cela suppose de reconnaître les hommes et leur utilité et de leur apporter l'oxygène qui leur permet d'exister...
... Monsieur le Ministre, vous nous avez demandé qui paiera ?
Les gens qui sont ici, ne sont pas ceux qui vous coûtent le plus cher...
Nous sommes les agriculteurs qui ont la meilleure indépendance économique.

## La différence entre marrons et châtaignes

Que ce soit le marron ou la châtaigne, tous les deux sont issus du même arbre, le châtaignier, car tout châtaignier produit à la fois des marrons et des châtaignes en plus ou moins grande proportion.
La bogue piquante, quand elle tombe sur le sol libère deux ou trois fruits. Celui qui est au milieu enserré entre les deux autres est de plus de petit calibre. Il se réduit parfois à une simple peau, c'est-à-dire qu'il est inexistant.
La seconde peau, dénommée le tan est quelquefois si pénétrante qu'elle parvient à séparer entièrement l'amande de la châtaigne en deux ou trois parties. C'est le phénomène du cloisonnement. L'amande ainsi cloisonnée est une châtaigne.
Le marron est au contraire un fruit non cloisonné.
Il reste entier une fois décortiqué.

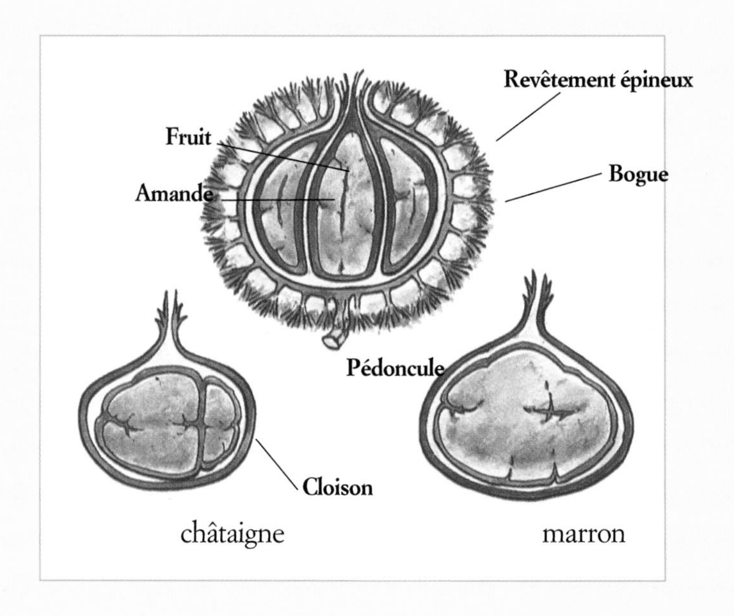

## La châtaigne, un aliment complet

100 grammes de châtaignes fraîches fournissent entre 190 et 200 calories soit une valeur nutritive comparable à celle des céréales, ce qui signifie que la châtaigne est très énergétique. Elle contient surtout des sucres lents, glucose et maltose parfaitement assimilés par l'organisme, en particulier au moment de l'effort.

Elle contient également de nombreuses vitamines et sels minéraux.

La châtaigne est très riche en vitamine C.

Il y a autant de vitamine C dans 100 grammes de châtaignes que dans 100 grammes de citron. La châtaigne est également très riche en vitamine B, qui favorise la dégradation du glucose.

**Teneur en vitamines** : mg pour 100 gr de fruits

VITAMINE C : 220
VITAMINE B1 et B2 : 45
VITAMINE A : 10

La châtaigne est également riche en sels minéraux, comme le potassium qu'elle contient en abondance.

**Teneur en sels minéraux :** mg pour 100 gr de fruit

POTASSIUM : 560
PHOSPHORE : 90
SODIUM : 65
MAGNESIUM : 51
CALCIUM : 34

La châtaigne contient également du soufre dans la proportion de 68 mg pour 100 g de fruits.

Les protéines de la châtaigne contiennent un acide aminé indispensable à l'organisme : la lysine, généralement absente des céréales.

Sept autres acides aminés indispensables sont également présents dans la châtaigne : la théonine, la méthionine, la valine, la leucine, la tryptophane, l'isoleucine et la phénylalanine. (Extraits de "Châtaigne et châtaignier" d'Edisud, Robert et Antoinette Sauvezon et Christian Sunt).

La cellulose présente dans la châtaigne en quantité non négligeable, facilite le transit intestinal et joue un rôle dans la prévention du cancer du colon.

Cependant la châtaigne est pratiquement dépourvue de gluten.

Cette protéine permet de faire lever les pâtes de blé, ce qui interdit d'utiliser la farine de châtaigne seule.

## Michel Grange : Les recettes de la Filière

Forcément c'est au latin que le châtaignier emprunte son arbre généalogique. En Europe, c'est l'espèce du Castanéa Sativa qui fait référence. Le Castanea Mollissima pousse lui, en Chine. Ses fruits sont de plus petits calibres mais d'une bonne qualité gustative. Le mieux pour aborder les rives de la botanique est encore de suivre Michel Grange. En effet, ce producteur Ardéchois, implanté au"Roux", près de Lamastre est un des rares exemples, sinon le seul d'une maîtrise complète de la filière.

Les Grange qui récoltent bon an mal an une quinzaine de tonnes de châtaignes, s'appliquent à eux-même un des plus vieux principes de l'économie castaneïcole : Si on le désire le châtaignier permet de développer un cycle économique autonome, complet et rémunérateur. Le châtaignier possède une fleur mâle. Pour être pollénisé, il lui faut donc être fécondé par une variété différente. Le fruit qui naîtra de cette pollénisation aura des caractères génétiques nouveaux ce qui signifie que pour obtenir une variété précise de fruit, il est obligatoire de recourir au greffage... Pour rénover leurs châtaigneraies, les Grange ont eu recourt au greffage systématique et au recépage, la technique qui consiste à couper à ras du sol, le tronc d'un vieux châtaignier et à greffer tous les rejets qui sortent trois ans après. De la production de plants à partir de semis, en passant par le greffage, l'élagage, l'entretien, le traitement contre les maladies de l'endothia ou de l'encre, la récolte sur filet, le calibrage et le tri des châtaignes, sans oublier la transformation et la commercialisation, les Grange assurent eux-mêmes, la totalité des opérations nécessaires au développement de leur exploitation.

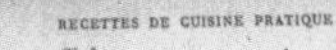

274 RECETTES DE CUISINE PRATIQUE

Œufs...................... 4.
Zeste d'un demi-citron.

Mettre dans un saladier 3 jaunes et un œuf entier avec les macarons hachés finement, le zeste du citron râpé, le sucre en poudre et le beurre fondu à blanc; travailler la pâte pendant 20 minutes pour la rendre légère, y mêler les 3 blancs d'œufs battus en neige; faire prendre à four doux dans une tourtière beurrée.

1008. **Gâteau de Gannat :**

Farine de gruau............ 200 gr.
Beurre fin.................. 125 gr.
Fromage de Gruyère ....... 125 gr.
Œufs........................ 3.

Couper le beurre en petits morceaux et le fromage en lamelles.

Mettre la farine sur un marbre ou sur une planche à pâtisserie, faire un puits dans lequel on casse les œufs, y mettre le beurre et les trois quarts du fromage, un peu de sel fin; pétrir le tout ensemble jusqu'à ce que la pâte vivement travaillée se détache entièrement des mains et de la planche : elle doit s'allonger comme du caoutchouc. En cet état, elle est bonne à faire cuire.

Disposer la pâte en couronne sur une plaque beurrée, piquer sur la couronne les morceaux de fromage réservés, dorer avec un jaune d'œuf mélangé de crème et mettre à cuire à four doux.

Ce gâteau est bon, mais un peu lourd.

1009. **Gâteau de marrons :**

Marrons..................... 1 kg.
Lait ......................... 1 litre.
Œufs......................... 6.
Beurre frais ................ 15 gr.
Sucre ordinaire ............ 100 gr.
Sucre vanillé............... 100 gr.

ENTREMETS SUCRÉS 275

Choisir 1 kg. de beaux marrons, enlever la première peau, les mettre à cuire à l'eau froide très légérement salée de façon qu'ils baignent seulement, jusqu'à ce que la deuxième peau puisse s'enlever facilement. Enlever la deuxième peau ou employer le procédé de la formule 840, *qui est beaucoup plus pratique*, les mettre dans une autre casserole avec un peu de lait et de beurre frais, achever la cuisson. Les réduire ensuite en pâte dans un mortier, y ajouter un quart de litre de lait, le sucre vanillé, les blancs d'œufs battus en neige. Enduire un moule de caramel, y mettre la purée de marrons, faire prendre au four doux et dans un plat avec de l'eau chaude pendant une heure. Démouler sur un plat et verser dessus, au moment de servir, une crème à la vanille faite avec le reste du lait, 6 jaunes d'œufs et 100 gr. de sucre, formule 1032.

1010. **Manière de vaniller le sucre :** Placer dans un bocal 500 gr. de sucre semoule avec 3 gousses de vanille, boucher hermétiquement. Ce sucre devient tellement aromatisé qu'on est souvent obligé de le mélanger avec du sucre non vanillé.

1011. **Mont de marrons :**

Marrons...................... 2 litres.
Sucre......................... 125 gr.
Beurre ....................... 15 gr.
Lait.......................... 1/2 litre.
Œufs......................... 4 jaunes.
Vanille....................... 1/2 gousse.

Oter la peau de beaux marrons selon la formule 1009. Les placer ensuite dans une casserole avec un peu de lait, une demi-gousse de vanille et le beurre; achever la cuisson. Quand les marrons s'écrasent sous la pression des doigts, ajouter le sucre, les passer au travers d'une passoire, faciliter

# la châtaigne sous les étoiles

# Paul Bocuse

## le commandeur de Collonges

Le sourcil impérieux, l'air de toujours diriger d'une baguette autoritaire un orchestre éternellement invisible, Paul Bocuse a fait monter la cuisine sur une scène de théâtre. Depuis, il ne cesse de savourer les rappels. On ne présente pas Paul Bocuse.

Au firmament de ses trois étoiles, c'est la statue du commandeur qui veille sur la bonne marche des fourneaux de la cuisine France. D'ailleurs, n'a-t-il pas donné à une soupe aux truffes inventée pour la circonstance d'une légion d'honneur, le nom du Président de la République qui le lui a remise, son alter ego en somme... Depuis, sa soupe VGE n'en finit pas de chevaucher les septennats avec l'allégresse d'une danseuse étoile. Il a fait de sa poularde en vessie ou de son loup en croûte de grands classiques dont il surveille l'élaboration d'un regard aussi aïgu que celui de l'épervier qui guette la musaraigne quand il s'agit de débusquer le détail qui dérape.

Paul Bocuse fait partie de ces êtres que l'on croit familiers et qui conserve pourtant une part insondable de mystère. Chez lui, la confidence est rare. Un jour, il a pourtant confié qu'il aurait pu finir dans la peau d'un voyou si la cuisine ne l'avait happé à toutes vapeurs. Une boutade sans doute. Mais qui sait ? Après tout que pouvait-il faire d'autre, lui qui est l'héritier d'une famille de cuisiniers présente dans le même village de Collonges au Mont-d'Or depuis le XVIIe siècle. Il est des arbres généalogiques qui vous scellent un destin.  Quel est le titre que goûte le plus Paul Bocuse ?

Nul ne le sait. Une chose est certaine, il fait briller les honneurs qu'on lui rend. Sans lui, la réputation de la cuisine française dont il s'est fait l'ambassadeur zélé de par le monde ne serait pas ce qu'elle est. Pour "Il était une fois la châtaigne", Paul Bocuse a imaginé une recette à la fois simple et habillée grand soir :

« Une volaille de Bresse à la broche et aux marrons »

# La Volaille de Bresse à la broche aux marrons

Ingrédients

Une belle volaille de Bresse
d'au moins 1,6 Kg
50 gr de beurre
en pommade
400 gr de marrons

PRÉPARATION :
15 à 20 minutes
cuisson : 45 minutes

Faites vider minutieusement
et brider la volaille par votre boucher.
Assaisonner l'intérieur et l'extérieur avec sel fin
et poivre fraîchement moulu.
Embrochez-la.
Badigeonnez-la de 50 gr de beurre
réduit en pommade.
Mettre la volaille à la broche devant
un bon feu de bois, les braises bien rouges.
Arroser-la régulièrement
avec le jus qui s'écoule dans la lèchefrite.
Comptez pour une volaille
de ce poids environ 45 mn de cuisson.

**Nota**

Pour apprécier la valeur incontestée
de la cuisson à la broche,
la volaille doit être servie et dégustée
aussitôt la cuisson terminée.

Mettez 400 gr de marrons épluchés
dans la lèchefrite et servez en saucière
le vrai jus récupéré dans celle-ci.
Servez-les en accompagnement
avec un gratin de cardon.

**Nota**

On peut truffer la volaille.
Pour cela, glisser délicatement
environ huit belles lames
de truffe sous l'épiderme avant de la brider.
Ou mettre à l'intérieur deux truffes entières.

# Le faisan aux châtaignes dans sa cocotte

Ingrédients

Pour 4 personnes

1 faisan de 1,800 kg de préférence sauvage ou deux petites poules faisanes de 1 kg chacune

Attention, la poule faisane cuit plus vite que le faisan

600 gr de châtaignes fraîches

100 gr de lard maigre fumé découpé en petit cubes

1/2 verre de vieil Armagnac

5 gr de beurre

Un choux blanc

Quelques oignons blancs

2 branches de fenouil sauvage séché

3 baies de genièvre

Sel, poivre

PREPARATION

Saler, poivrer l'intérieur des faisans. Ajouter la branche de fenouil à l'intérieur du faisan.

Faites fondre 50 g de beurre dans la cocotte et saisisser le faisan sur feu vif pendant une dizaine de minutes.

Faites revenir ensuite les lardons.

Flamber le faisan au vieil armagnac.

Auparavant, vous aurez incisé les châtaignes avant de les jeter dans une grande quantité d'eau bouillante où elles cuiront pendant une vingtaine de minutes.

Rincer les à l'eau froide et pelez les.

Éventuellement vous pouvez utiliser des châtaignes entières en conserve.

Faites cuire le choux dans un court bouillon de volaille.

Couper le choux en fine lamelle.

Et préparer les oignons blancs.

Réserver le faisan.

Faire mijoter les oignons.

Quand ils sont transparents, ajouter le choux et les trois baies de genièvre.

Remettez le faisan ou les poules faisanes, couvrir la cocotte et mettez-là au four (thermostat 7) pendant 15 à 25 minutes.

Ajouter les châtaignes 10 minutes avant la fin de la cuisson.

Et présenter.

# La Crème de Courge Muscade aux châtaignes

Léon de Lyon (Jean-Paul Lacombe)

Ingrédients

Pour 6 personnes

400 g de courge muscade

200 g de châtaignes au naturel

2 gros oignons paille

25 cl de crème fraîche épaisse

1,5 litre d'eau

noix muscade

Sel et poivre

Facultatif :

6 noix de coquilles Saint-Jacques fraîches

PRÉPARATION

Faire revenir à l'huile d'olive dans une cocotte les cubes de courge muscade et les oignons découpés en rondelles.

Ajouter l'eau, la crème fraîche et râper un peu de noix muscade.

Saler et poivrer.

Faire mijoter dans la cocotte à découvert une trentaine de minutes.

5 minutes avant la fin de la cuisson, ajouter les châtaignes.

Mixer le tout.

Escaloper les noix de Saint-Jacques crues dans chaque assiette et verser la crème de courge muscade brûlante.

Servir aussitôt.

# Christian Têtedoie

## l'artiste des saveurs

Christian Têtedoie a subi sans encombre l'examen de passage de deux septennats, puisque dans les cuisines de l'Elysée, débuta un apprentissage auquel il n'a pas encore mis vraiment un terme estimant qu'en cuisine, on n'a jamais fini d'apprendre si on veut approcher la perfection, ne serait-ce que de très loin.

Christian Têtedoie avec son visage de poupon qui n'aurait pas tout à fait fini de grandir est, à la fois d'une modestie qui confine au doute existentiel et d'un orgueuil qui le pousse, avec l'obstination d'une aiguille aimantée à indiquer le nord, à relever tous les défis.
Son titre de meilleur apprenti de France lui avait ouvert toutes grandes les portes des cuisines Elyséennes sous Valéry Giscard d'Estaing mais c'est François Mitterrand qui le plébiscita en en faisant son chef particulier. Et Christian Têtedoie de conserver un souvenir ému d'un certain conseil des ministres à Latche où il se fit remarquer par tous les dignitaires de la République et leurs janissaires pour sa blanquette de lotte aux champignons et son navarin d'agneau.
Autant de plats qui appartiennent à la grande tradition de la cuisine française que goûtait particulièrement le maître des lieux. Il est des détails qui peuvent vous changer le destin d'un pays...
Mais les ors de la République, même côté cuisine, peuvent se révéler à la longue aussi pesants que les grilles d'une prison si l'on n'y prend garde. Alors Christian Têtedoie choisit d'autres cours. Il devint chef chez Georges Blanc. Le défi était de taille, mais en rien comparable à celui d'ouvrir son propre restaurant. Ce fut à Lyon. Un titre de meilleur ouvrier de France vint d'abord sanctionner le parcours sans faute de cet artiste de la saveur qui sait comme personne accomoder le homard bleu de Bretagne, que ce soit en salade avec du beurre d'orange, ou serti dans sa tête de veau et son jus de carottes. Une première étoile au Michelin est venue ajouter son nom à la galaxie des grands chefs français. Il fut encore plus heureux de la distinction pour tous ceux qui travaillaient avec lui que pour lui-même, ce qui en dit long sur sa gentillesse et son amour du travail bien fait.
C'est aussi avec un soin maniaque qu'il peaufine la décoration de chaque plat.
Ce sont ses tableaux, l'expression de son talent, lui qui a un jour rêvé d'être peintre...
Pour "Il était une fois la châtaigne", Christian Têtedoie a dressé sur un plat d'argent :
« Un filet de bar aux châtaignes »

# Le filet de Bar aux châtaignes

Ingrédients
Pour 4 personnes
Un bar de 600-700 gr
poids brut
440 gr poids net
Châtaignes de l'Ardèche
48 pièces
Endives 3 pièces
Vinaigre balsamique
2,5 dl
Échalotes 2 pièces
Beurre 200 gr
Sucre 25 gr
Eau 1 l
Arêtes de Poissons
"l'arête du bar" (concassée)
Fleur de sel 20 gr
Sel fin, Poivre
Cerfeuil, Ciboulette
Persil simple

PRÉPARATION
Lever le bar en filet puis couper chaque filet
en deux pour avoir 4 portions identiques.
Réserver.
Concasser l'arête puis la faire dégorger
sous un filet d'eau.
Éplucher la première peau des châtaignes
avec un couteau d'office puis les ébouillanter
4 par 4 (une minute pour ôter la petite peau )
Enfin, faites les rissoler au beurre
avec un peu de fleur de sel.
Ciseler les 2 échalotes, les suer au beurre
(25 gr) avec le sucre déglacer
au vinaigre balsamique.
Réduire de moitié, ajouter l'arête et l'eau. Laisser
cuire pendant 30 mn puis passer
au chinois fin et faire réduire de moitié.
Repasser au chinois fin
et incorporer 100 gr de beurre.
Émincer en filament très fin les endives puis
les étuver à crues avec 25 gr de beurre
et à couvert. Ajouter un peu de sel.
Cuire les bars sur la peau dans une poêle
anti-adhésive à l'unilatérale
tout doucement pendant 20 mn.
Dresser au centre de l'assiette la fondue
d'endives, poser par dessus le filet de bar,
verser autour la sauce et enfin, disposer
les châtaignes et décorer avec les herbes.

## Omelette aux châtaignes et aux cèpes à la Limousine

Beaucoup de recette à base de châtaignes peuvent se préparer à partir de châtaignons, c'est-à-dire de châtaignes séchées, ce qui permet de les conserver toute l'année.
Quand on utilise des châtaignons, il faut les mettre à tremper la veille, les recouvrir d'eau froide dans un fai-tout et les cuire à feu doux pendant environ 1h30.

Ingrédients
Pour 4 personnes

6 oeufs
30 gr de cèpes séchés
150 gr de châtaignons
Sel, poivre

PRÉPARATION

Mettre les cèpes à tremper dans de l'eau froide, couper les châtaignons encore tièdes en lamelles épaisses.

Découper les cèpes, les faire revenir dans de l'huile d'olive.

Ajouter les châtaignons et verser les oeufs battus sur le mélange de cèpes et de châtaignons.

Servir chaud.

## La Crème de châtaignes aux cèpes de nos forêts

Ingrédients
Pour 4/6 personnes

250 gr de châtaignes
100 gr de poireaux
60 gr de cèpes séchés
1/4 de litre de crème fraîche
1 branche de céleri
2 cubes de bouillon de volaille
3/4 de litre d'eau
Sel, poivre

PRÉPARATION

Laver les poireaux, le céleri et faire tremper les cèpes dans de l'eau tiède.
Emincer les légumes très fins.
Mettre à suer avec du beurre dans une cocotte.
Réserver.
Inciser à l'aide du laguiole les châtaignes, les recouvrir d'eau froide et laisser bouillir pendant 4 à 5 minutes.
Eplucher les châtaignes encore tièdes.
Diluer les 2 cubes de bouillon dans les 3/4 de litre d'eau bouillante avant d'ajouter les légumes, les châtaignes et les cèpes.
Cuire à feu doux pendant 40 minutes.
Passer le tout au moulin à légumes.
Rajouter la crème fraîche en diluant sur le feu pendant 5 minutes.
Servir.

Le Vivarais

# Le Cousina de Christiane

La soupe va comme un gant à la châtaigne.
Avec Christiane Giuliani-Brioude, à Vals les Bains, elle a trouvé sa reine.
Son Cousina est un grand classique dont la réputation a largement dépassé les frontières. Son fumet délicat est un enchantement qui vous berce de la douce illusion d'avoir enfin rejoint la confrérie des grands "cordons bleus".

## La Soupe de châtaignes (Cousina)

Ingrédients
Pour 6 personnes

1 kg de châtaignes de bonne qualité (Bouche-rouge de préférence)
1 litre de court-bouillon de volaille (ou 2 bouillon-cubes)
sel, poivre
1 noix muscade à râper
Six feuilles de céleris (de préférence le Lapi des vallées ardéchoises)
1 litre de crème fraîche`

PRÉPARATION

Cuire les châtaignes dans l'eau bouillante après avoir enlever la première peau .
Quand elles sont cuites, enlever la deuxième peau.
Réserver les 2/3 des châtaignes.
Passer 1/3 des châtaignes à la moulinette.
Faire bouillir le bouillon de volaille avec la noix muscade râpée et les feuilles de céleris, et le 1/3 de châtaignes passés à la moulinette.
Saler, poivrer.
Au bout d'une demi-heure, ajouter le litre de crème fraîche, quand elle commence à bouillir, ajouter les 2/3 des châtaignes pelées.
Rectifier l'assaisonnement et laisser mijoter 1 heure.

## Pigeons farcis aux châtaignes

Ingrédients
Pour 4 personnes

4 pigeons de 350 gr,
plumés,
vidés,
préparés
(conserver foie, coeur
et gésier nettoyés)
24 châtaignes cuites
12 gousses d'ail
60 gr de foie gras
20 gr de beurre
Sel, poivre, thym

Pour la purée d'ail :
10 gousses
d'ail épluchées,
50 gr de beurre,
100 gr
de crème fraîche.

PRÉPARATION
Préparer une farce
avec les foies, coeurs et gésiers
des 4 pigeons,
à laquelle vous ajoutez
les châtaignes en morceaux
et le foie gras,
sel, poivre et thym émietté.
Farcissez-en les pigeons.
Beurrer 4 feuilles
de papier d'aluminium
et déposer 3 gousses d'ail
sur chacune d'elles.
Mettre le pigeon en papillote
et laissez cuire 35 mn
dans un four à 280°.
Pendant ce temps,
préparer la purée d'ail en faisant
confire les gousses
à petit feu dans le beurre.
Saler, poivrer, ajouter la crème
et porter 5 mn à ébullition
en remuant.
Passer au mixeur.
Disposer sur une assiette le pigeon
coupé en deux,
auréolé de purée d'ail; accompagner
selon la saison avec une salade
ou une poêlée de champignons.

Vin d'accompagnement
Un syrah du caveau
des vignerons ardéchois,
un rouge un peu charpenté,
assez tannique.

## Tarte à la châtaigne au jambon cru

Ingrédients
Pour 6 personnes

1 fond de pâte feuilletée
Mélanger :
1/4 litre de crème fraîche
3 oeufs entiers
Sel, poivre
300 gr de petites
châtaignes cuites
12 tranches de jambon
cru bien sec,
coupées très fines
(1 jambon cru
d'Ardèche,
pané à la farine
de châtaigne est parfait)
Quelques feuilles
de céleris
finement ciselées

PRÉPARATION
Etaler la pâte
dans la tourtière beurrée.
Disposer les tranches
de jambon cru,
les châtaignes.
Verser le mélange oeufs
et crème fraîche.
Disposer
les feuilles de céleris.
Cuire à four moyen
et servir tiède.

Très bon
avec une salade d'endives
coupées en fines lamelles
assaisonnée
à l'huile d'olive
et au citron.

## Délices de Christiane : Crèpes salées pour l'apéritif

Ingrédients
Pour 12 personnes

A faire compoter
doucement :
1 kg d'oignons entiers,
finement émincés
150 gr de beurre
Sel, poivre, thym

Mélanger :
300 gr de farine blanche
100 gr de farine
de châtaigne
(celle de Duplan à Bise)
Sel, poivre
1/2 l de lait
100 gr de beurre fondu

PRÉPARATION

Prendre des petites poêles
à blinis. Faire chauffer,
mettre une petite noix de beurre,
une louche de pâte à crèpe,
1 cuillérée à café d'oignons.

Cuire jusqu'à ce que la crèpe
bien dorée se détache,
retourner.
A cuisson,
servir immédiatement.

Vin conseillé :
un rosé bien frais.

## Caneton rôti au miel de châtaignes

Ingrédients
Pour 4 personnes

Prendre deux canetons
de 1 kg 100,
les fendre au milieu.
Les badigeonner
avec la sauce suivante :

100 gr de miel
de châtaignier
1 jus de 1/2 citron pressé
1 jus de 1/2 orange
1 cuillérée à soupe
de vinaigre
Sel, poivre
1 cuillérée à café
de cannelle en poudre,
de cardamone,
vanille liquide.
Les mettre au four
pour 15 minutes (th 8).
Pendant ce temps,
préparer les gnocchis
de pois chiche :
1/2 litre de lait
50 gr de beurre
150 gr de farine
de pois chiche
3 oeufs entiers
Sel, poivre
4 cuillérée à soupe
de crème.

PRÉPARATION

Mettre à bouillir le lait,
le beurre, sel, poivre.
A ébullition, ajouter la farine,
remuer au fouet.
Quand c'est solide,
ajouter la crème
et les oeufs battus.
Mettre dans
un moule à cake beurré,
et réserver pendant 10 minutes
au frais (glaçons).
Démouler et couper en tranches.
Passer ces tranches au beurre
dans une poêle téfal
et dorer des deux côtés.
Quand vous sortez
votre plat de canetons du feu,
une croûte très foncée tapisse
le fond du plat,
ajouter 1 verre de vin blanc,
porter à ébullition
et vous obtiendrez
une sauce épaisse
pour napper le caneton.
Rectifiez-en l'assaisonement.
Délicieux avec
une salade de pissenlits....à l'ail !

# Jean-Claude Pequet

## un toqué de la perfection

D'un apprentissage royal au Georges V, Jean-Claude Pequet a gardé une distance qu'il ne faudrait surtout pas prendre pour de la hauteur. Simplement il est d'une nature plutôt réservée, voire rêveuse. Souvent quand il vous parle, on a l'impression que sa pensée s'absente pour faire l'école buissonnière, qu'elle va se perdre sans doute dans les allées de son potager ou il cultive avec un soin jaloux des herbes que personne ne connaît et qu'il utilisera toujours avec la note juste dans les plats qu'il mitonne derrière ses fourneaux lyonnais.

Lui aussi a la toque près des étoiles, et son titre de meilleur ouvrier de France ne lui a pas valu que des amis. Mais chut ! L'air est bien connu, le talent des uns fait parfois de l'ombre à ceux qui en ont moins...

En cuisine, il a l'oeil aux aguets.

Il surveille tout, explore le moindre détail pour une recherche de la perfection absolue. Il va jusqu'à cuire lui-même son pain sur la pierre. Inutile de dire qu'avec un tel pain qui vous enchante de la croûte à la mie, autant renoncer à toute velléité de régime...

Pour "Il était une fois la châtaigne", il a choisi :

une « côte de veau de lait farcie de son rognon et de châtaignes des Cévennes »

## La côte de veau de lait farcie de son rognon et châtaignes des Cévennes

Ingrédients
4 personnes
Côtes de veau premières
4 pièces de 250 gr chacune
Rognon de veau
1 pièce
Lard fumé
8 tranches fines
Oignons fanes ou Cebette
2 bottes
Céleri en branche
1 branche
Châtaignes des Cévennes
500 g
Jus de veau 2,5 dl
Beurre 50 gr
Sel, poivre, sucre

PRÉPARATION
Éplucher les oignons fanes,
émincer les finement, réserver.
Éplucher la branche de céleri,
la couper en brunoise fine (en dés minuscules), réserver.
Enlever la première peau des châtaignes à l'aide d'un petit couteau,
puis tremper-les, petit peu par petit peu dans une casserole d'eau
bouillante additionnée d'un verre d'huile blanche.
Éplucher les châtaignes lorsqu'elles sont bien chaudes
mais pas encore cuites, réserver.
Dégraisser entièrement le rognon, dénerver-le et couper 4 tranches
régulières, réserver et garder environ 50 gr de graisse.
Dénerver et dégraisser les côtes de veau, nettoyer les os.
Avec un couteau pointu, faire une poche dans chaque côte de veau,
glisser une tranche de rognon que l'on aura assaisonnée.
Envelopper les côtes dans le lard fumé, et maintenir
en forme avec une ficelle.
Dans une sauteuse, mettre à fondre la graisse du rognon,
assaisonner les côtes de veau, les cuire dans la graisse
pendant 5 minutes de chaque côté,
les réserver et les maintenir au chaud.
Dans le sautoir, mettre à colorer les châtaignes,
assaisonner de sel, poivre et d'une bonne pincée de sucre,
ajouter les oignons et le céleri, puis mouiller avec le jus de veau.
Cuire à couvert.
Dans des assiettes chaudes, dresser une côte de veau
entourer de châtaignes et napper du jus
de cuisson réduit de moitié et monter au beurre.

## Henri et Suzanne

uzanne et Henri ! Henri et Suzanne !

hez les Blanc , à l'auberge du hameau de la Roche à eaumont en Ardèche, on ne sait plus ce qui appartient à une et ce qui appartient à l'autre.

n vingt ans de complicité culinaire, le couple a réussi la fuon parfaite et amoureuse de leurs deux cultures, l'une plus picée parce que plus provençale, celle d'Henri, l'autre plus arquée terroir puisque Suzanne est une ardéchoise pure ouche, ce qui est ici le passeport indispensable pour vous ire franchir la frontière des coeurs.

Beaumont on pratique donc les amitiés estivales comme n célèbre un culte, c'est à dire à la fois avec le recueillement ui sied à toute religion et l'enthousiasme juvénile de ceux qui nt la foi.

a foi, Henri et Suzanne Blanc, l'ont d'abord eu pour imposer leurs convictions, et affirmer le crédo d'une restauration aysanne empruntée à l'enfance.

hez les Blanc, ce qu'on cuisine le mieux, outre le poulet aux crevisses ou le gâteau au chocolat, ce sont les souvenirs. ux aussi ont écrit un livre à quatre mains avec un seul cœur. .a châtaigne, trésor d'automne",
50 recettes dans lesquelles la châtaigne avec son émouante simplicité joue les stars.

était une fois la châtaigne leur rend hommage à travers 4 cettes, leur version du potage à la châtaigne, une salade du asseur, un braisé de choux aux châtaignes, et un délice automne.

## Le Potage aux châtaignes d'Henri et Suzanne

Ingrédients
Pour 8 personnes

1 kilo de châtaignes au naturel
1 dl de crème fraîche
2 jaunes d'œufs
1 oignon
1 branche de céleri
Sel, poivre

PRÉPARATION

Mettre dans une cocotte
les châtaignes couvertes d'eau,
le céleri, l'oignon.
Salez et poivrez.

Laisser cuire 1 heure.

Broyer le tout finement.
Mettre les deux jaunes d'œufs
et la crème dans une soupière.

Verser dans la soupe
et mélanger.

Servir bien chaud.

# Les mille vies de Marie Joli

Il est des vocations qui se mitonnent, qui réclament comme une pâte travaillée au levain naturel beaucoup de patience pour donner le meilleur d'elles-mêmes. Rien ne prédestinait en apparence Marie Joli, excepté peut-être son nom qui est une invitation au bonheur, à transformer, au cœur de cette Ariège qui sait si bien vivre hors des sentiers battus de la mode, une coquette demeure familiale aux volets d'un vert si profond qu'on a envie de les refermer sur le mystère de ses rêves, en auberge pour gastronome de l'authentique.

Ce n'est qu'une fois franchi le cap de ses quarante cinq printemps que Marie Joli s'est mise à faire chanter cuivres et fourneaux dans son "Jardin de Cadettou" qui embaume les rues du petit village du Mas d'Azil.

Auparavant, elle s'était intéressée à une autre "cuisine", infiniment plus abstraite, celle des rêves, car avant de bifurquer vers la voie royale de la gourmandise, Marie Joli n'était rien moins que chercheur au CNRS à Lyon.

Pendant de nombreuses années, elle a fait partie de l'équipe du professeur Michel Jouvet, une sommité mondiale en neuro- physiologie, célèbre notamment pour ses travaux sur le sommeil paradoxal, démontrant qu'il était en quelque sorte la mémoire de l'instinct. Ses références en cuisine, Marie Joli, a du batailler ferme pour les faire reconnaître dans un pays qui n'a guère le goût du mélange des genres.

Elle était d'autant plus attendue au tournant de son étonnante reconversion que le lien entre les laboratoires de la recherche fondamentale et l'art infiniment plus terre à terre de préparer une saumonière de saumon fumé parfumée à la citronelle n'était rien moins qu'évident. Il pouvait dérouter tout bon cartésien qui se respecte.

Cependant cette reconversion radicale avait sa logique intime. Marie Joli, comme beaucoup de ces "hommes de châtaigne" qui ont su transformer une vie ordinaire en destin, n'a pas su résister à l'appel des racines.
Issue d'une famille de vignerons algérois qui avait quitté le sud de la France en 1830, Marie Joli, après la parenthèse recherche, en revenant en Ariège retrouvait une part de son histoire.
De l'autre côte de la Méditerranée, au milieu de mères et grands-mères, elle avait baigné dans cette atmosphère joyeuse du cérémonial des repas qu'on préparait pour le retour des hommes.
Dans son jardin de Cadettou, c'est le fil de cette enfance insouciente et gaie qu'elle renouait.
Elle a donc battu les cartes de ses différentes cultures pour "bricoler", comme elle le dit elle-même des plats imprégnés à la fois de la grande tradition du Sud-Ouest et de la cuisine plus épicée de la Méditerranée.
Elle est née à la cuisine, grâce à ses aïeules et à sa mère qui se transmettaient les recettes comme on se transmettait les contes dans les temps anciens, c'est-à-dire oralement.
Sa route ne pouvait que croiser celle de la châtaigne.
Pour "Il était une fois la châtaigne", Marie Joli a donc "bricolé" une recette simple, mais capable d'enivrer les sens :
« le feuilleté Marie »

## Le Feuilleté de Marie

Ingrédients
Pour 4 personnes

250 gr de pâte feuilletée
500 gr de châtaignes cuites à l'eau (les fendre et les cuire 30 minutes).
125 cl de grenache
1 cuillère à soupe de hachis d'ail et de persil
50 gr de beurre
400 gr de foie gras de canard mi-cuit.
Sel, mignonnette de cognac

PRÉPARATION

Découper 4 ronds de pâte feuilletée à l'emporte pièce, les dorer au pinceau. Enfourner à 180° pendant 15 minutes. Durant le temps de cuisson des feuilletés, faire rissoler le beurre et le hachis d'ail et de persil sans roussir. Très rapidement, ajouter le grenache et faire flamber. Écraser grossièrement les châtaignes dans la sauce, saler, poivrer et laisser réduire à feu doux 10 minutes. Partager les feuilletés et dresser sur une assiette chaude le fond du feuilleté. Déposer 100 gr de foie de canard mi-cuit, napper de sauce à la châtaigne et au grenache.

Déguster avec un verre de Sambuc (spécialité Ariègeoise d'un vin de fleur au Sureau).

## Le Soufflé aux châtaignes et aux Carottes

Ingrédients
Pour 4 personnes

250 gr de châtaignes fraîches
250 gr de carottes
100 gr d'oignons
20 dl de lait
4 œufs entiers
2 branches de sauge fraîche
Beurre frais
Sel, poivre

PRÉPARATION

Inciser les châtaignes. Les cuire 1/2 heure avec les branches de sauge Peler les châtaignes et enlever la deuxième peau alors qu'elles sont encore tièdes. Ensuite les réduire en purée. Cuire les carottes et les oignons dans une eau salée et les réduire également en purée. Mélanger les deux purées ainsi obtenues. Ajoutez une noix de beurre et le lait dans la purée tiède. Saler et Poivrer. Laissez refroidir. Dans une terrine en grès beurré auparavant, incorporer à la purée les jaunes d'œufs et ensuite les blancs montés en neige. Cuire au four pendant une demi-heure thermostat 6 Servir.

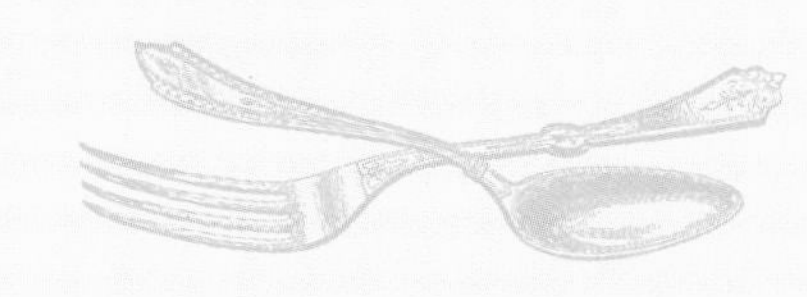

## .e Braisé de choux .ux châtaignes

.grédients
our 4 personnes

choux vert
kg de châtaignes
.u naturel
oignons
. cuillerées à soupe
l'huile d'olive
dl de jus de viande

PRÉPARATION

Laver les feuilles de choux.
Enlever les grosses côtes.
Couper les feuilles
en lanière et blanchir
deux minutes et égoutter.
Faire venir
les oignons "émincés"
dans l'huile.
Ajouter les lanières de choux,
le sel, le poivre.
Arroser d'1 dl
de jus de viande.
Cuire le tout 20 minutes.
Dix minutes
avant la fin de la cuisson,
ajouter les marrons
au naturel.

## Le Délice d'automne

Ingrédients
Pour 8 personnes

150 gr de farine
de châtaignes
300 gr de crème
de marrons
150 gr de beurre
150 gr de sucre
en poudre
1 sachet de levure
chimique
3 cuillerées à soupe
de cognac
1 pincée de sel

PRÉPARATION

Travailler dans un saladier
les oeufs entiers,
le sucre,
le sel,
jusqu'à obtenir
un mélange parfait.
Tout en remuant,
incorporer la farine de châtaigne
puis la levure.
Travailler à part le beurre ramolli
jusqu'à ce qu'il mousse,
ajouter la crème de marrons
et le cognac.
Mélanger les deux préparations
dans un moule à manquer,
foncer le fond
avec du papier sulfurisé huilé,
verser dessus le mélange
et faire cuire 45 minutes
à thermostat 200 °C
dans un four chaud.
Démouler à froid.
Servir accompagné
d'une crème anglaise.

# Les authentiques de
# **Félicie**

Certes, les “trois étoiles“ de Félicie ne brillent que dans son coeur et personne ne trouvera jamais son adresse dans aucun Bottin gourmand. Son énergie est celle de la patience et de la tendresse qu'elle a distillé à tous ceux qui ont gravité autour de son foyer.

Placée en cuisine, comme on disait à l'époque de l'entre-deux guerres dans le langage familier d'une bourgeoisie qui se croyait grande pour l'éternité, son amour des saveurs et des petits plats mijotés s'est épanoui tout naturellement dans ce qu'elle voulait absolument considérer comme le fumet du bonheur.

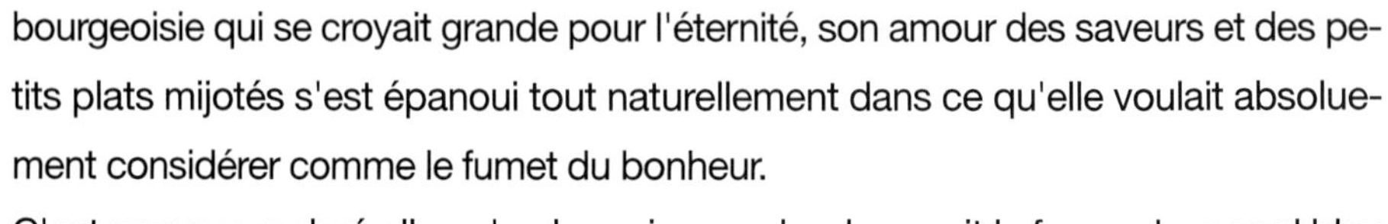

C'est presque malgré elle qu'un beau jour, ce bonheur prit la forme du regard bleu roi d'un tailleur de pierres piémontais.

Il était obstiné comme un “têtu“, cette petite masse d'acier qu'il maniait avec la dextérité d'un jongleur d'illusion pour écorner les granits les plus durs. Il sut briser les résistances de la belle.

Grasse n'était pas si éloignée de Dronero, un village perclus du travail de la terre au coeur de ce Piémont de montagnes et de châtaigniers pour empêcher Félicie de s'y rendre souvent et d'apprendre au contact de sa belle famille Belliardo, un nom qui chante comme un refrain de Toscane, les mille et une façons d'accomoder la châtaigne.

Surtout que la guerre y a mis du sien prolongeant le séjour de la famille dans les montagnes piémontaises.Du Piémont, Félicie est revenue avec des recettes simples, qui “tiennent au corps“, la châtaigne retrouvant par là même sa vocation originelle qui est de nourrir, de bien nourrir.

Et souvent le matin, alors que le jour n'était pas encore levé, ce sont de solides soupes à la châtaigne ou des “pains perdus “ à la châtaigne que le tailleur de pierre emportait sur les chantiers dans sa gamelle en fer blanc.

Ces recettes appartiennent à la grande tradition d'une cuisine, simple, rustique, authentique.

Elles sont faites de ce respect, de cette connivence avec le passé qui semble être le caractère le plus marquant de la châtaigne. A ce titre elles avaient tout naturellement leur place à côté des recettes “trois étoiles" des grands chefs, dans “Il était une fois la châtaigne“.

## La Soupe de «Liguettes» façon Piémontaise

ngrédients
Pour 4 personnes

oignon
cuillerée
soupe d'huile d'olive
50 gr de châtaignes
èches ou châtaignons
50 gr de riz sauvage
pommes de terre
/2 litre de lait
/2 litre d'eau.

PRÉPARATION

La veille,
faire tremper les châtaignes
dans le 1/2 litre d'eau
pour les ramollir.
Le lendemain,
faire blanchir l'oignon
dans l'huile d'olive.
Mettre dans le faitout,
l'eau et les châtaignes
surtout se servir de l'eau
dans laquelle les châtaignes
ont trempé.
Cuire 10 minutes.
Ajoutez le riz,
les pommes de terre découper
en rondelle, l'oignon,
laissez cuire à feu doux
de 20 à 30 minutes.
A la fin de la cuisson,
ajoutez le demi litre de lait
et portez à ébullition.
Servir la soupe chaude.

## Pain perdu aux châtaignes et au miel

Ingrédients
Pour 4 personnes

Pâte à pain
400 gr de pain de bonne
qualité tradition
200 gr de crème
de marrons
200 gr de miel
1 verre de jus
d'une orange pressée
100 gr de beurre fondu
1/2 verre de muscat

PRÉPARATION

Dans un robot ménager
mixer le pain
découpé en morceau,
le miel,
le beurre fondu,
le jus d'orange.
Chemiser 6 ramequins
d'une fine pellicule
de pâte à pain
puis remplir l'intérieur
de la purée de châtaignes
et de pâte à pain.
Refermer les ramequins
avec le restant de la pâte à pain.
Faire cuire les ramequins
au four à 150 °C
pendant un bon quart d'heure.
Démouler
sur une assiette creuse.
Servir tiède arrosé de muscat.

## La Crème de Félicie

Ingrédients

750 gr
de sucre roux
en poudre
1 kilo de châtaignes
fraîches
1/2 litre d'eau
1 gousse de vanille
1 petit verre
de vieux rhum

PRÉPARATION

Inciser les châtaignes.
Les couvrir d'eau fraîche salée,
faites cuire pendant
une trentaine de minutes.
A l'aide d'une écumoire,
sorter les unes après les autres
les châtaignes
que vous débarrassez
à l'aide de la pointe d'un couteau
de leurs deux peaux,
la deuxième contenant
le tanin qui donne l'amertume.
Passer les châtaignes au mixeur
jusqu'à obtenir une pâte homogène.
Préparer votre sirop
dans un demi-litre d'eau
après avoir ajouté
la gousse de vanille.
Une fois que le sirop
est devenu translucide,
incorporer la purée de châtaignes
et faites cuire à feu doux
pendant une trentaine de minutes
en tournant constamment
avec une spatule en bois.

Conserver
dans des bocaux stérilisés
auparavant.

## Les Crèpes de Félicie flambées à la Blanche

Ingrédients
Pour une trentaine
de crêpes environ

200 gr de farine
de châtaigne
350 gr de farine blanche
2 œufs
100 gr de sucre
1 litre de lait
10 cl d'huile
60 gr de beurre
1 sachet de levure
1 sachet de sucre vanillé
1/2 verre d'eau
de vie de poire
Éventuellement
pour alléger
la pâte à crêpe
verser un demi-verre
de bière
1 pincée de sel

PRÉPARATION

Verser la farine
dans un récipient.
Mélanger.
Creuser un petit cratère
dans lequel vous verserez
le beurre fondu,
les œufs,
le sel,
le sucre vanillé et la levure.
Délayer le tout en incorporant
progressivement le lait
jusqu'à obtention
d'une pâte homogène,
sans grumeau et fluide.
Laisser reposer
au moins une heure.
Dans la poêle huilée
bien chaude,
verser à peu près une demie
louche que vous étalez.
Faites dorer des deux côtés.
Sucrer et flamber.

## Le Moelleux tiède à la châtaigne aux 4 épices et sa crème anisée

de Romuald Combe - L'Oliveraie à Valence

Ingrédients

8 personnes

500 gr de crème de marrons

3 œufs

50 gr de poudre d'amande

2 pincées de «4 épices»

1/2 gousse de vanille

100 gr de beurre

50 cl de crème anglaise

plus 2 badianes

(anis étoilé)

PRÉPARATION

Faire infuser la badiane
dans la crème anglaise encore tiède
jusqu'au refroidissement.
Réserver au frais pour le décor du fond d'assiette.
Faire colorer le beurre «noisette»
dans une casserole à fond épais,
puis le refroidir rapidement
en plongeant le fond dans de l'eau froide.
Le but recherché est de conférer
au beurre ce petit parfum de noisette.
Dans un «cul de poule»,
mélanger au fouet, la crème de marrons,
les œufs, puis la poudre d'amande
et les «4 épices» avec les graines
de la gousse de vanille, puis enfin le beurre refroidi.
Plaquer dans des ramequins légèrement beurrés,
cuire au four à 180° pendant 15 à 20 mn.
Démouler et servir tiède accompagné
de sa crème anglaise
et éventuellement une crème fouettée
légèrement sucrée.

# Anne-Sophie
## au firmament

Anne-Sophie Pic a dégusté les odeurs avant même d'avoir su déchiffer la secrète alchimie des saveurs. C'est le nez au vent de l'enfance qu'elle traversait la cuisine où officiait, impérial et perfectionniste, son père, Jacques Pic. A Valence, elle se sentait bien dans ce tintamarre de poêles où l'huile chauffée à blanc grésillait de bonheur. Anne-Sophie était un feu vif. Sans le savoir, elle faisait faire ses gammes à tous ses sens parcequ'elle n'avait pas encore inscrit au fronton de sa vocation

ce métier de cuisinier. Elle jouera même un temps les filles rebelles traversant une Amérique toute en lignes de fuite d'autant plus grisantes qu'à vingt ans on ne sait pas encore que souvent on ne fait que se fuir soi-même.La fuite durera cinq ans avant que le temps ne s'églantine puisque les pères ont parfois l'idée saugrenue de vous laisser orphelin trop tôt. Elle n'a même pas trente ans quand elle reprend les rênes de la maison plus que centenaire.C'est son grand-père, André Pic qui fera poser les ailes de la gloire sur le modeste bistrot que l'arrière grand-mère d'Anne-Sophie avait ouvert en Ardèche en 1890. André Pic avait le don.

Son restaurant deviendra en 1934 un des premiers "trois étoiles" de France inscrit au Michelin. C'est dire la responsabilité qui pèse aujourd'hui sur les épaules d' Anne-Sophie Pic : maintenir au sommet la réputation d'une maison qui a forgé au même titre que les Vergé, les Ducasse, les Bocuse, les Troisgros, la légende de la gastronomie française. Tout en maintenant à sa carte les grands classiques préparés par son père Jacques Pic, comme le loup au caviar osciètre royal d'Iran, elle a su lui insuffler la fraîcheur de son imagination.

Elle sélectionne avec un goût sûr les meilleurs produits pour préparer ses petits homards et artichauts mélés, ou son foie gras et noix fraîches caramélisées à la gelée de coing. Il n'y a pas de doute, Anne-Sophie Pic, avec ses recettes qui lui ressemblent, est une artiste de la saveur. Là-haut, dans son auberge du paradis, où il tient table ouverte, Jacques Pic peut déboucher une bouteille de Grand Hermitage pour trinquer avec son copain Charles Trénet qui ne manquait jamais de s'arrêter à Valence quand il avait décidé de siffler un « vers » de nationale 7, la maison est bien tenue.

Pour « Il était une fois la châtaigne » Anne-Sophie Pic propose :

une « Macaronade d'Abricots crème légère à la châtaigne »

# La Macaronade d'Abricots crème légère à la châtaigne

**Macarons :**

Ingrédients
Poudre d'amande : 50 gr
Sucre glace : 90 gr
Blancs d'oeufs : 50 gr
Sucre : 15 gr

PRÉPARATION
Monter les blancs au batteur, en versant le sucre semoule petit à petit.
Tamiser le sucre glace et la poudre d'amande.
Mélanger le tout à la spatule, puis dresser à la poche 6 gros macarons et 12 petits.
Cuire dans un four à 170°c pendant 8 minutes pour les gros macarons et 6 minutes pour les petits.

**Marmelade d'Abricots**

Ingrédients
Abricots : 300 gr
Sucre : 50 gr
Beurre : 10 gr
Liqueur d'abricots : 20 gr

PRÉPARATION
Faire un caramel blond avec le sucre, le décuire avec le beurre et la liqueur, puis ajouter les abricots en dés et cuire à feu doux.
Bien laisser réduire.

**Crème légère aux marrons**

Ingrédients
Crème légère : 100 gr
Crème de marrons : 50 gr
Gélatine en feuille : 1 gr
Rhum : 10 gr
Crème montée :200 gr
Brisure de marrons confits : 30 gr

PRÉPARATION
Détendre la pâtissière avec la crème de marrons; ajouter le rhum puis la gélatine fondue. Incorporer la crème montée et les brisures de marrons confits.

**Croustillants vanille**

Ingrédients
Beurre : 25 gr
Sucre glace : 100 gr
Lait : 25 gr
Sucre vanillé : 5 gr
Farine : 35 gr

PRÉPARATION
Mettre le beurre en pommade, incorporer à la spatule en bois le sucre glace tamisé et le sucre vanillé.
Lisser avec le lait, puis incorporer la farine tamisée.
Dresser à l'aide d'un pochoir et cuire à 210 °c jusqu'à coloration.
Lui donner forme dès la sortie du four dans un moule gouttière.

**Sauce d'abricots :**

Pulpe d'abricots : 100 gr
Sucre : 60 gr
Beurre : 10 gr

PRÉPARATION
Cuire le sucre au caramel, arrêter la cuisson avec le beurre, puis ajouter progressivement la pulpe d'abricots.
Réserver au froid.

DRESSAGE :
Garnir un gros macaron avec de la marmelade d'abricots, le placer au centre de l'assiette.
Faire une belle quenelle de mousse de marrons dessus.
Ajouter le croustillant et les deux petits macarons ainsi que 3 traits de sauce d'abricots.
Servir bien frais.

# La Bûche aux Marrons

Un grand classique de la tradition

Il n'est pas de Noël sans bûche et de bûches sans marrons. La bûche de Noël en pâtisserie n'est pourtant que de tradition récente. Ce n'est qu'entre les deux guerres qu'elle fit son apparition sur la table, accompagnant sans doute le mouvement généralisé de l'exode rurale.

La bûche de Noël ne serait alors que l'interprétation citadine et gourmande d'une très ancienne tradition provençale plutôt païenne que religieuse.

A l'origine, la bûche était en effet, une vraie bûche de bois que l'on faisait flamber dans la cheminée le jour de Noël pour préserver le foyer de tous les fléaux et y attirer la prospérité.

En général, elle était bénite à l'eau du même nom et allumée avec le charbon de la bûche du Noël précédent.

Certains en conservaient même précieusement les cendres pour guérir les animaux malades et pour chasser le tonnerre.

Ingrédients

Pour 8 personnes

1 Feuille de papier sulfurisé

4 œufs

150 gr de sucre en poudre

100 gr de farine

1 pincée de sel

30 gr de beurre pour la plaque

800 gr de crème de marrons

400 gr de beurre

100 gr de brisure de marrons glacés

pour parsemer la bûche une fois la cuisson achevée.

20 cl de sirop de canne

5 cl de vieux rhum

Des petits champignons en meringue

Feuille de pâte d'amande

PRÉPARATION

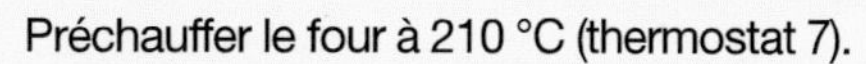

Préchauffer le four à 210 °C (thermostat 7).

Préparation de la pâte à biscuit :

Séparer les blancs des jaunes d'œufs.

Mélanger la farine et le sel.

Dans un plateau travailler les jaunes avec le sucre en poudre jusqu'à ce que le mélange blanchisse.

Par ailleurs, monter les blancs d'œufs en neige ferme.

Incorporer délicatement et alternativement à la préparation, cuillère par cuillère, les blancs en neige et la farine tamisée au chinois.

Beurrer la plaque creuse du four, ou mieux encore, tapisser avec une feuille de papier sulfurisé et la beurrer.

Y verser la préparation en lissant la surface.

Enfourner à mi-hauteur et laisser cuire 8 à 10 minutes.

Pendant ce temps, mélanger la crème de marrons, le beurre à température ambiante et 5 cl de rhum au batteur, jusqu'à obtention d'une crème très lisse.

Quand le biscuit est cuit, étaler un torchon humide sur le plan de travail et y retourner la plaque de biscuit juste au sortir du four.

Décoller aussitôt la feuille de papier sulfurisé, puis rouler le biscuit sur lui-même à l'intérieur du torchon et maintenir ainsi roulé jusqu'à refroidissement complet.

Mélanger le sirop de sucre de canne et 2 cuillères à soupe de rhum. Dérouler la plaque de biscuit et l'imbiber du mélange.

Étaler les deux tiers de la crème en couche sur le biscuit et parsemer avec les brisures de marrons glacés.

Rouler le biscuit sur lui-même en serrant et le placer sur un plat de service, jointure en dessous.

Couper la bûche en biseau aux deux extrémités.

Étaler sur la bûche la crème aux marrons.

Dessiner des rainures avec les dents d'une fourchette.

Décorer avec les petits champignons de Noël
et les feuilles en pâte d'amande.

Mettre au frais 4 heures au moins.

Servir bien frais.

# Jean-Paul Lechevalier

## le chevalier sans reproche

Au "Piano" en cuisine, à la guitare à la maison, Jean Paul Lechevalier n'aime rien tant que la douce mélodie du plaisir qu'il donne.

D'abord à ses clients qui sont pratiquement tous devenus des amis à trop fréquenter la bonne table du Saint-Alban à Lyon, ensuite à ses amis quand il enchaîne les derniers tubes à la mode sur sa Fender pour animer quelques soirées de fête qui se transformeront par la magie de son entrain en souvenirs inoubliables.

L'homme est comme cela, tout d'une pièce à la fois généreux et tendre, éternel épicurien devant la fraternité chaleureuse des agapes; décidé à ne conserver d'une vie qui passe trop vite que les bons côtés.

C'est hier à peine qu'il faisait son apprentissage chez Paul Bocuse ou Léon de Lyon. Les étoiles, il les a d'abord eu sous les yeux avant de les avoir dans la tête et de rejoindre la galaxie des meilleurs ouvriers de France.

Il associe des poissons, toujours d'une fraîcheur irréprochable à toutes sortes de saveurs qui en réveille la chair parfois un peu fade.

Pour "il était une fois la châtaigne il a dressé « un parfait glacé aux marrons en habit de fête » qui ne peut que faire chanter les papilles.

## Le Parfait Glacé aux Marrons en Habit de Fête

Ingrédients
1/4 de litre de lait
75 gr de sucre
8 jaunes d'œufs
500 gr de crème de marrons
vanillé
1/2 litre de crème fouettée
rhum
Pâte d'amande

La veille,
réaliser une crème anglaise.
Bouillir 1/4 de litre de lait,
blanchir 8 jaunes d'œufs avec 75 gr de sucre.
Verser le lait bouillant sur les jaunes d'œufs
et cuire sans faire bouillir.
Retirer du feu et verser dans un récipient
suffisamment grand pour
qu'il puisse contenir le reste des ingrédients.
Refroidir tout en fouettant de manière
à ce que le mélange double de volume.
Monter la crème fraîche en chantilly.
Mélanger la crème de marrons,
la crème anglaise puis incorporer la chantilly
les trois ingrédients doivent être froids.
Mouler dans un plat creux
et mettre au congélateur.

Le jour de la dégustation
Sauce chocolat :
Faire bouillir 250 gr de crème
avec 1/4 de litre d'eau,
ajouter 300 gr de chocolat noir
et porter à ébullition, réserver au bain-marie.
Réaliser votre décor en pâte d'amande.
Démouler le parfait, saupoudrer de cacao
et disposer votre décor.
Servir entouré de chocolat chaud.

# Le Soufflé Glacé aux Marrons de Bernard Perrier

Hôtel du Midi - Restaurant Barattérro - Lamastre 07

Ingrédients
Pour 6 à 8 personnes:

1/2 litre de lait
8 jaunes d'oeufs
150 gr de sucre semoula
1 litre de crème fraîche
250 gr de sucre glace
500 gr de crème
de marrons

PRÉPARATION

Mettre le lait à chauffer.
Pendant ce temps, fouetter les jaunes avec le sucre
jusqu'a ce que le mélange blanchisse.
Retirer le lait du feu juste avant qu'il frémisse.
Versez-en une petite quantité sur les jaunes d'œufs sucrés
tout en fouettant, puis, toujours en fouettant,
versez le reste du lait.
Reporter sur un tout petit feu. Tourner la crème à la cuillère
de bois sans arrêter, elle ne doit jamais bouillir.
Retirer du feu dès qu'elle nappe le dos de la cuillère.
Placer aussitôt la casserole dans le bac d'eau froide
arrivant à mi-hauteur afin que la crème refroidisse.
Quand elle est froide,
incorporer la crème de marrons et mélangez bien.
Monter la crème fraîche en chantilly
avec le sucre glace et incorporer-la-délicatement à la crème.
Cheminer le moule à soufflé ou les ramequins individuels
sur toute sa hauteur avec une bande de papier sulfurisé
dépassant le bord de 8 à 10 cm (3 cm pour des ramequins).
Verser la crème dans la sorbetière puis, dès qu'elle est prise,
mettre dans le moule (ou les moules).
Placer au congélateur pour environ 3 heures.
Retirer délicatement le papier. Décorer de marrons glacés.
Bernard Perrier vous conseille d'accompagner ce dessert
d'un muscat de Beaumes de Venise

TABLE DES RECETTES

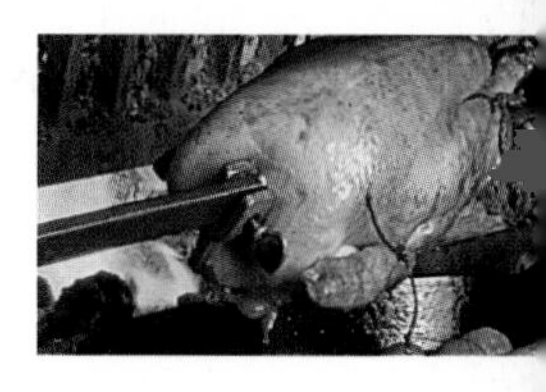

ADRESSES UTILES

**Le Cantal**

La Maison de la châtaigne à Mourjou (Cantal)

Circuit de la châtaigneraie à Maurs la Jolie (Cantal)

**La Corse**

Groupement castanéicole à Bastelicaccia

Fête de la châtaigne  à Bocognano

Buvette chez «Finfin» à Soccia

Marie-Paule Casanova à Evisa

**Le Limousin**

La Maison du châtaignier à Chalus (Haute-Vienne)

Association du marron et du châtaignier à Limoges (Haute Vienne)

La Fête de la châtaigne à Dournazac (Haute Vienne)

La Journée du «Clédier» à la Chapelle-Montbrandeix (Haute Vienne)

La Journée Champignons et Nature à Bussière-Galant (Haute Vienne)

**La Var**

Association castanéicole de l'espace forestier
collobrièrois à Collobrières (Var)

**Le Vivarais**

Le Musée de la châtaigneraie à Joyeuse (Ardèche)

La Maison du châtaignier à Saint-Pierreville (Ardèche)

Le Parc Naturel Régional des Monts d'Ardèche à Saint-Pierreville

Les Fêtes de la châtaigne à Joyeuse, Privas, Desaignes,
Entraigues et Saint-Pierreville en Ardèche

REMERCIEMENTS

A Corinne Vincent, Etienne Lattard, Yves Verilhac, sans lesquels ce livre n'aurait pu aboutir.
A Robert et Antoinette Sauvezon et à Christian Sunt dont le livre "Châtaignes et châtaigniers" (Edisud) m'a été très précieux pour approcher l'histoire de la châtaigne et les problèmes techniques posés par sa culture.

A Henri Capredon et à Paul Dufrois,
qui président à l'activité châtaignes du Parc Naturel Périgord Limousin à Dournazac.
A la Maison du Châtaignier à Chalus (Haute-Vienne).
A la Gaufrerie, Maison Calla Parc de la Tête d'Or - Lyon

CREDIT PHOTOS

Daniel Lattard, Studio Lattard à Valence (Drôme) a réalisé l'illustration photographique de ce livre.
A l'exception des clichés consacrés au Limousin réalisés par Étienne Lattard à Limoges.
Les autres documents sont à porter au crédit photo de :
Christian Andreani. Photographe - Patrimonio : page 124, 129, 133, 183
Maison Pietra - Sialelli : page 126, 128
Liqueurs Gauthier à Saint-Désirat : page 131, 132
Marie Joli - Le Mas d'Azil - Ariège : page 164, 165
Catherine Nigon - Lyon : page 4
Nature et Découvertes - Paris : page 134, 135,
Charlie Marrons - Collobrières : page 106, 112,113, 122,
Philippe Lemaire : page 107, 111, 114, 116, 120, 168,
Châtaigneraies des Monts d'Ardèche - Comité d'étude PNR : page 142

**Collection «Saveurs et Terroirs»**
Épices et Aromates mode d'emploi
Bahadourian
Atmosphères et Saveurs
François Mailhes / Véronique Védrenne

**A paraître**
Les Fruits secs font recettes
Bahadourian

**Conception graphique Françoise Aury**

Photogravure Cinquième Couleur - Bron

Ce troisième album de la collection "Saveurs et terroirs"
est dédié à nos fils Dominique, Frédéric et Christophe qui ont vu le jour à Limoges.

Il a été achevé d'imprimer pour la récolte de la châtaigne 2001,
sur les presses de Stige San Mauro, Torino - Italia - Septembre 2001
Dépot légal - octobre 2001